COLLECTION
FOLIO CLASSIQUE

Gérard de Nerval

Sylvie

Préface de Gérard Macé

Édition établie et annotée
par Bertrand Marchal
Professeur à l'Université de Paris-Sorbonne

Gallimard

PRÉFACE

La Sylvie de Nerval est un être de fiction, mais plus qu'une héroïne de roman, c'est une créature poétique, à l'image de ces femmes qui furent les muses ou les amantes des poètes classiques, et dont on ne sait jamais bien si ce sont des fantômes, des fantasmes ou des êtres de chair. À l'imitation de Dante avec Béatrice, de Pétrarque avec Laure, on rime avec ardeur à partir d'un nom de femme, qui finit par avoir un semblant de réalité, à moins qu'on ne dissimule un amour réel sous les voiles de la fiction. Or Nerval connaissait bien ces poètes du XVIe *ou du début* XVIIe*, puisqu'il a contribué à les sortir de l'oubli.*

Le prénom de Sylvie apparaît une première fois dans « Angélique », sous la forme d'une allusion à la Sylvie de Théophile de Viau, et à la forêt de Chantilly. Adrienne est déjà présente elle aussi (« une très belle

* « Sylvie » appartient à un recueil plus large, *Les Filles du feu*, qui comprend également « Angélique », « Jemmy », « Octavie », « Isis », « Corilla » et « Émilie ». On le retrouvera, suivi des *Chimères*, dans la collection Folio classique (n° 4219).

fille blonde parut avec une robe blanche, une coiffure de perles, une auréole et une épée dorée... »), mais elle s'appelle Delphine, et bien que Nerval se promette de ne jamais oublier son prénom, elle prêtera son apparence, ainsi que le nimbe de carton doré de son costume, à la plus énigmatique et la plus troublante des filles du feu, qu'il nomme alors Adrienne. Car pour être fidèle à sa propre mémoire, Nerval en observe les métamorphoses, les déplacements, et même ce qu'il nomme des « illusions », c'est-à-dire les apparitions ressemblantes, les figures qui reviennent... On passe ainsi sans peine du théâtre aux forêts du Valois, des feux de la rampe aux clartés lunaires, dans « Sylvie » qui nous mène au cœur de la géographie nervalienne, et de son univers mental : des noms de villages et des noms de jeunes filles en fleurs (la fête du bouquet est une anticipation de l'univers proustien), des rondes et des déguisements, une initiation amoureuse et un faux mariage, des chansons populaires et de vieilles légendes font resurgir le passé, non pas tel qu'il fut, mais tel qu'on le rêve. Car ce qui est neuf chez Nerval, c'est que dans son récit la résurrection du souvenir est aussi importante que le souvenir lui-même : dans la calèche qui le mène de nuit vers les lieux de son enfance, les montées, les descentes, les cahots, les virages sont ceux d'une route qui mène vers le passé, et le cheminement est intérieur autant que la route est réelle.

C'est une image que poursuit Nerval, celle d'une actrice « belle comme le jour aux feux de la rampe qui l'éclairait d'en bas, pâle comme la nuit, quand la rampe baissée la laissait éclairée d'en haut sous les rayons du lustre » (et la Berma dans la Recherche *est éclairée de la même façon, elle qui joue « d'une part une pièce éblouissante et fière, de l'autre une pièce douce et veloutée », allusion aux* Diamants de la couronne *et au* Domino noir, *les deux pièces qu'elle joue en alternance). Mais grâce aux « bizarres combinaisons du songe », cette image s'efface au profit d'une autre, surgie de profondeurs qu'on appellerait aujourd'hui l'inconscient, et que Nerval est le premier à décrire avec autant de précision. Sous la figure éblouissante mais inaccessible de l'actrice il reconnaît un « souvenir à demi rêvé », et c'est vers une autre image qu'il décide soudain de se transporter : celle d'Adrienne et des « longs anneaux roulés de ses cheveux d'or », entrevue sous la lune au cours d'une cérémonie sacrée, d'un mariage mystique empêchant à jamais le mariage réel : « On nous dit de nous embrasser, et la danse et le chœur tournaient plus vivement que jamais. » Dès lors Sylvie est délaissée, la douce réalité laissant la place à l'idéal sublime, à l'apparition fugace qui ne reviendra jamais, et dont le souvenir est tout entier dans la voix. Adrienne est devenue religieuse, Sylvie épousera le grand frisé, il ne reste plus à Nerval qu'à poursuivre en vain son actrice, dont il nous apprend alors qu'elle s'appelle Aurélie.*

Proust, à n'en pas douter, s'est souvenu de ce mouvement tournant qui entraîne les êtres loin d'eux-mêmes, après les avoir placés au centre d'un cercle enchanté. Et de même qu'il s'est souvenu de Mortefontaine en prêtant au duc de Guermantes les traits d'un seigneur du lieu, il s'est souvenu de la fête du bouquet lorsque à Balbec, dans les Jeunes Filles en fleurs, *il a placé Albertine au centre du cercle où l'on se passe une bague : c'est le jeu du furet qui en est l'occasion, dans un bois sur la falaise, et l'émoi du narrateur est comparable à celui de Nerval dans « Sylvie ». Son impuissance aussi, comme si les jeunes filles formaient un cercle de feu, ou comme si Albertine après Adrienne avait le regard de Méduse. Dans les deux cas, l'amoureux transi ne sait que faire : chez Nerval, la figure aimée disparaît, pour reparaître plus tard sous d'autres apparences ; chez Proust, Albertine en personne réveille le somnambule, en le rappelant à la réalité par des paroles triviales.*

La ronde, le cercle, la bague qui passe de main en main, le furet ou la flamme qu'on ne peut attraper : c'est la même scène dans un autre décor, et tout le jeu du désir dans une lumière claire-obscure, avec ses ruses et ses leurres. Un jeu qui nous fait retrouver l'une sous le masque de l'autre, de Sylvie en Adrienne et d'Adrienne en Albertine, car la bague des amours enfantines est aussi un talisman littéraire, aussi précieux qu'un mot de passe.

*« — Vous avez imité Diderot lui-même, dit une voix anonyme à la fin d'*Angélique.

— Qui avait imité Sterne…

— Lequel avait imité Swift.

— Qui avait imité Rabelais.

— Lequel avait imité Merlin Coccaïe…

— Qui avait imité Pétrone…

*— Lequel avait imité Lucien. Et Lucien en avait imité bien d'autres… Quand ce ne serait que l'auteur de l'*Odyssée, *qui fait promener son héros pendant dix ans autour de la Méditerranée, pour*

l'amener enfin à cette fabuleuse Ithaque, dont la reine, entourée d'une cinquantaine de prétendants, défaisait chaque nuit ce qu'elle avait tissé le jour. »

Pour Nerval, les souvenirs littéraires ont autant de force, autant de poids que ses souvenirs personnels, le passé proche et le passé lointain s'éclairant l'un l'autre. Son panthéisme, et son attirance pour la métempsycose, le persuadent que tout participe de la même vie, que tout se recompose perpétuellement, à partir d'un feu primordial où naîtraient les âmes. Ainsi, la mémoire collective est assez vaste pour tout accueillir, de la réalité la plus ordinaire aux mystères les plus sublimes, et cette croyance a une conséquence morale, mais également esthétique : l'absence de hiérarchie entre les diverses expériences, ainsi qu'entre les genres nobles et les genres mineurs.

C'est donc sans peine qu'il évoque avec la même émotion, le même respect, Rousseau et le père Dodu (ou le grand frisé), le temple de la philosophie et la sagesse populaire. Qu'il fait entrer dans la même ronde une descendante des Valois et les jeunes filles du village. Qu'il passe des théâtres parisiens aux fresques d'Herculanum, dont les figures sur fond noir se superposent à celle de l'actrice éclairée par de vraies flammes, au début de « Sylvie ». Ou que l'Italie est jumelée avec l'Égypte, à travers les métamorphoses d'Isis. Enfin, c'est peut-être pour la même raison (même si les circonstances ont joué leur rôle) qu'on peut trouver dans le même volume les chansons du Valois et Les Chimères.

Car l'apparente simplicité de Nerval, la limpidité de sa phrase qui semble couler de source, n'ont rien de naïf. Outre une véritable érudition (entre autres, il connaît par cœur son XVIIIe siècle, et la Renaissance lui a livré bien des secrets), il y a chez lui une vive conscience des moyens littéraires, en particulier de ceux qu'il refuse. C'est vrai dès la préface, quand il s'en prend aux ficelles du roman historique, ou quand il évoque avec l'amendement Riancey les contraintes nées de la censure, qui le gênent moins que d'autres, parce que le document le fait rêver autant que la fiction. Vrai encore quand il commente avec malice l'art de la digression, ou de l'interruption du récit, dont il use en les signalant. En somme, Nerval utilise avec réticence les moyens trop convenus, ou les effets usés jusqu'à la corde, et s'il emprunte sans aucune gêne la matière de ses récits, la manière doit rester la sienne. On pourrait en dire autant de sa stratégie amoureuse, qui se refuse elle aussi les moyens de la séduction grossière : si l'on peut aimer une jeune fille promise à un autre, c'est toujours de loin, et l'on n'achète pas une femme, même vénale. Ces scrupules, qui le paralysent en présence des femmes admirées, ne l'empêchent heureusement pas d'écrire, parce qu'en la matière il connaît l'art de contourner l'obstacle ; et parce que son imagination, dont la subtilité n'empêche pas le pouvoir, n'a pas besoin du roman, ni d'aucun des genres canoniques, pour l'emmener aussi loin que possible.

Plus précisément encore, il y a un art poétique dans Les Filles du feu *: non pas sous la forme d'un traité, Nerval est le contraire d'un théoricien, mais par petites touches, exemples à l'appui. Dans « Angélique » par exemple, pour illustrer le caractère des habitants de l'Île-de-France, « un mélange de rudesse* *et de bonhomie », il cite presque en entier, tout en regrettant de ne pas pouvoir donner la notation musicale, une chanson dont un quatrain lui inspire ce commentaire : « On voit encore, par ces quatre vers, qu'il est possible de ne pas rimer en poésie ; — c'est ce que savent les Allemands, qui, dans certaines pièces, emploient seulement les longues et les brèves, à la manière antique. » Il y revient dans « Sylvie », où la « sévère rime française », trop monotone et trop répétitive, est condamnée au profit de l'assonance, qui permet un retour plus discret de la même sonorité. Plus discret, et peut-être plus fidèle au retour décalé des souvenirs, à ce qu'il appelle ailleurs « les hiatus et les assonances du temps », qui forment la trame sonore de sa prose. De ce point de vue, le répertoire du Valois est plus conforme aux voix mélodieuses de son enfance que les « vers ronflants » qui sont gravés sur les rochers d'Ermenonville, et qui ont la solennité de la poésie officielle. C'est ainsi tout un patrimoine oublié qu'il voudrait sauver, comme l'ont fait les frères Schlegel et les romantiques allemands pour les vieilles ballades de leurs contrées natales. Mais l'obstacle, « c'est qu'on n'a jamais voulu admettre dans les livres des vers composés sans souci de la rime, de la prosodie et de la syntaxe ; la langue du berger, du marinier, du charretier qui passe, est bien la nôtre, à quelques élisions près, avec des tournures douteuses, des mots hasardés, des terminaisons et des liaisons de fantaisie, mais elle porte un cachet d'ignorance qui révolte l'homme du monde... » C'est un poète savant qui écrit ces lignes, mais il n'y a pas lieu de s'en étonner. La voie était d'ailleurs tracée, depuis les poètes du* XVIe *siècle et Malherbe écoutant les crocheteurs de foin ; une voie qui mène à Rimbaud, quand il fait l'éloge des chansons de nos aïeules, et des romans érotiques sans orthographe.*

La pensée chez Nerval est toujours soutenue par le chant, c'est ce qui permet cette admirable continuité entre la prose et la poésie, même quand on passe des Filles du feu *aux* Chimères, *dont les sonnets opèrent pourtant une véritable transmutation de l'expérience. Ainsi, nous assistons dans « Octavie » à l'escalade du Pausilippe, au-dessus de la grotte où nagera la sirène, et Nerval nous fait part de sa tentation, deux fois surmontée, de plonger dans le vide pour rejoindre le monde des morts. Ce Nerval deux fois vainqueur, c'est lui qui reprend, dans la préface en prose, la substance du vers le plus fameux d'« El Desdichado », mais en le mettant dans la bouche de Brisacier : « Ainsi, moi, le brillant comédien naguère, le prince ignoré, l'amant mystérieux, le déshérité, le banni de liesse, le beau ténébreux... », comme s'il voulait nous faire vivre non seulement la recherche d'un passé révolu, mais encore la recherche de la poésie la plus pure, avec ses hésitations et ses scories.*

Les Filles du feu *précédant* Les Chimères, *c'est la quête d'un or philosophal qui n'existe pas, mais dont Nerval a cru percevoir l'éclat dans l'alternance des jours et des nuits.* Les Chimères *à la suite des* Filles du feu, *c'est l'or poétique enfin trouvé, mais qui ne brille que sur fond de ténèbres.*

GÉRARD MACÉ

Note sur l'édition

Nous reproduisons strictement le texte de l'édition originale des *Filles du feu* (1854), en corrigeant simplement les coquilles manifestes, en restituant un point d'interrogation omis, et en fermant les guillemets chaque fois qu'ils sont ouverts.

Nous corrigeons également les noms propres lorsque la bonne graphie coexiste avec la mauvaise. Cette harmonisation vaut aussi pour whiskey/whisky.

Nous corrigeons enfin les graphies archaïques (poète, rythme, trait d'union entre très et l'adjectif).

En revanche, nous ne corrigeons ni les noms propres isolés ou toujours écrits de la même façon, ni les erreurs qu'on peut déduire d'une comparaison avec d'autres versions du même texte ou avec ses sources, ni les mots étrangers mal transcrits.

Nous maintenons les particularités graphiques de Nerval (palympseste pour palimpseste, syrènes pour sirènes) ainsi que sa ponctuation (notamment la virgule avant un tiret).

Cette édition doit évidemment beaucoup, pour l'annotation, à deux éditions historiques : l'édition des *Filles du feu* de Nicolas Popa en 1930, et surtout celle des *Œuvres complètes* dirigées par Jean Guillaume et Claude

Pichois pour la Bibliothèque de la Pléiade, qui constitue pour tout nervalien une somme essentielle. Nous avons consulté aussi les éditions des *Filles du feu* procurées par Jacques Bony, par Gabrielle Chamarat et par Michel Brix (voir la Bibliographie, p. 119).

Sigles et abréviations :

APl	Album Gérard de Nerval (Pléiade)
GDU	*Grand dictionnaire universel du* XIXe *siècle*
Ms	Manuscrit
NPl I, II, III	Nouvelle Pléiade, tome I, II, III.

BERTRAND MARCHAL

SYLVIE
Souvenirs du Valois

I. NUIT PERDUE

Je sortais d'un théâtre[1] où tous les soirs je paraissais aux avant-scènes en grande tenue de soupirant. Quelquefois tout était plein, quelquefois tout était vide. Peu m'importait d'arrêter mes regards sur un parterre peuplé seulement d'une trentaine d'amateurs forcés, sur des loges garnies de bonnets ou de toilettes surannées, — ou bien de faire partie d'une salle animée et frémissante couronnée à tous ses étages de toilettes fleuries, de bijoux étincelants et de visages radieux. Indifférent au spectacle de la salle, celui du théâtre ne m'arrêtait guère, — excepté lorsqu'à la seconde ou à la troisième scène d'un maussade chef-d'œuvre d'alors, une apparition bien connue illuminait l'espace vide, rendant la vie d'un souffle et d'un mot à ces vaines figures qui m'entouraient.

Je me sentais vivre en elle, et elle vivait pour moi seul. Son sourire me remplissait d'une béatitude infinie ; la vibration de sa voix si douce et cependant fortement timbrée me faisait tressaillir de joie et d'amour. Elle avait pour moi toutes les perfections, elle répondait à tous mes enthousiasmes, à tous mes caprices, — belle comme le jour aux feux de la rampe qui l'éclairait d'en bas, pâle comme la nuit, quand la rampe baissée la laissait éclairée d'en haut sous les rayons du lustre et la montrait plus naturelle, brillant dans l'ombre de sa seule beauté, comme les Heures divines qui se découpent, avec une étoile au front, sur les fonds bruns des fresques d'Herculanum[1] !

Depuis un an, je n'avais pas encore songé à m'informer de ce qu'elle pouvait être d'ailleurs ; je craignais de troubler le miroir magique qui me renvoyait son image, — et tout au plus avais-je prêté l'oreille à quelques propos concernant non plus l'actrice, mais la femme. Je m'en informais aussi peu que des bruits qui ont pu courir sur la princesse d'Élide ou sur la reine de Trébizonde[2], — un de mes oncles[3] qui avait vécu dans les avant-dernières années du dix-huitième siècle, comme il fallait y vivre pour le bien connaître, m'ayant prévenu de bonne heure que les actrices n'étaient pas des femmes, et que la nature avait oublié de leur faire un cœur. Il parlait de celles de ce temps-là sans doute ; mais il m'avait raconté tant d'histoires de ses illusions, de ses déceptions, et montré tant de portraits sur ivoire, médaillons charmants qu'il utilisait depuis à parer des tabatières, tant de billets jaunis, tant de faveurs fanées, en m'en faisant l'histoire et le compte définitif, que je m'étais habitué à penser mal de toutes sans tenir compte de l'ordre des temps.

Nous vivions alors dans une époque étrange[4],

comme celles qui d'ordinaire succèdent aux révolutions ou aux abaissements des grands règnes. Ce n'était plus la galanterie héroïque comme sous la fronde, le vice élégant et paré comme sous la régence, le scepticisme et les folles orgies du directoire ; c'était un mélange d'activité, d'hésitation et de paresse, d'utopies brillantes, d'aspirations philosophiques ou religieuses, d'enthousiasmes vagues, mêlés de certains instincts de renaissance[1] ; d'ennuis des discordes passées, d'espoirs incertains, — quelque chose comme l'époque de Pérégrinus et d'Apulée[2]. L'homme matériel aspirait au bouquet de roses qui devait le régénérer par les mains de la belle Isis ; la déesse éternellement jeune et pure nous apparaissait dans les nuits, et nous faisait honte de nos heures de jour perdues. L'ambition n'était cependant pas de notre âge, et l'avide curée qui se faisait alors des positions et des honneurs nous éloignait des sphères d'activité possibles. Il ne nous restait pour asile que cette tour d'ivoire des poètes, où nous montions toujours plus haut pour nous isoler de la foule. À ces points élevés où nous guidaient nos maîtres, nous respirions enfin l'air pur des solitudes, nous buvions l'oubli dans la coupe d'or des légendes, nous étions ivres de poésie et d'amour. Amour, hélas ! des formes vagues, des teintes roses et bleues, des fantômes métaphysiques ! Vue de près, la femme réelle révoltait notre ingénuité ; il fallait qu'elle apparût reine ou déesse, et surtout n'en pas approcher.

Quelques-uns d'entre nous néanmoins prisaient peu ces paradoxes platoniques, et à travers nos rêves renouvelés d'Alexandrie[3] agitaient parfois la torche des dieux souterrains, qui éclaire l'ombre un instant de ses traînées d'étincelles. — C'est ainsi que, sortant du théâtre avec l'amère tristesse que laisse un songe évanoui, j'allais volontiers me joindre à la société d'un cercle où l'on soupait en grand nombre, et où toute mélancolie cédait devant la verve intarissable de quelques esprits éclatants, vifs, orageux, sublimes parfois, — tels qu'il s'en est trouvé toujours dans les époques de rénovation ou de décadence, et dont les discussions se haussaient à ce point, que les plus timides d'entre nous allaient voir parfois aux fenêtres si les Huns, les Turcomans ou les Cosaques n'arrivaient pas enfin pour couper court à ces arguments de rhéteurs et de sophistes.

« Buvons, aimons, c'est la sagesse ! » Telle était la seule opinion des plus jeunes. Un de ceux-là me dit : « Voici bien longtemps que je te rencontre dans le même théâtre, et chaque fois que j'y vais. Pour *laquelle* y viens-tu ? »

Pour laquelle ?... Il ne me semblait pas que l'on pût aller là pour une *autre*. Cependant j'avouai un nom. — « Eh bien ! dit mon ami avec indulgence, tu vois là-bas l'homme heureux qui vient de la reconduire, et qui, fidèle aux lois de notre cercle, n'ira la retrouver peut-être qu'après la nuit. »

Sans trop d'émotion, je tournai les yeux vers le personnage indiqué. C'était un jeune homme correctement vêtu, d'une figure pâle et nerveuse, ayant des manières convenables et des yeux empreints de mélancolie et de douceur. Il jetait de l'or sur une table de whist et le perdait avec indifférence. — Que m'importe, dis-je, lui ou tout autre ? Il fallait qu'il y en eût un, et celui-là me paraît digne d'avoir été choisi. — Et toi ? — Moi ? C'est une image que je poursuis, rien de plus.

En sortant, je passai par la salle de lecture, et machinalement je regardai un journal. C'était, je crois, pour y voir le cours de la Bourse. Dans les débris de mon opulence se trouvait une somme assez forte en titres étrangers. Le bruit avait couru que, négligés longtemps, ils allaient être reconnus ; — ce qui venait d'avoir lieu à la suite d'un changement de ministère. Les fonds se trouvaient déjà cotés très-haut ; je redevenais riche[1].

Une seule pensée résulta de ce changement de situation, celle que la femme aimée si longtemps était à moi si je voulais. — Je touchais du doigt mon idéal. N'était-ce pas une illusion encore, une faute d'impression railleuse ? Mais les autres feuilles parlaient de même. — La somme gagnée se dressa devant moi comme la statue d'or de Moloch. « Que dirait maintenant, pensais-je, le jeune homme de tout à l'heure, si j'allais prendre sa place près de la femme qu'il a laissée seule ?... » Je frémis de cette pensée, et mon orgueil se révolta.

Non ! ce n'est pas ainsi, ce n'est pas à mon âge que l'on tue l'amour avec de l'or : je ne serai pas un corrupteur. D'ailleurs ceci est une idée d'un autre temps. Qui me dit aussi que cette femme soit vénale ? — Mon regard parcourait vaguement le journal que je tenais encore, et j'y lus ces deux lignes : « *Fête du Bouquet provincial*. — Demain, les archers de Senlis doivent rendre le bouquet à ceux de Loisy[2]. » Ces mots, fort simples, réveillèrent en moi toute une nouvelle série d'impressions :

c'était un souvenir de la province depuis longtemps oubliée, un écho lointain des fêtes naïves de la jeunesse. — Le cor et le tambour résonnaient au loin dans les hameaux et dans les bois ; les jeunes filles tressaient des guirlandes et assortissaient, en chantant, des bouquets ornés de rubans. — Un lourd chariot, traîné par des bœufs, recevait ces présents sur son passage, et nous, enfants de ces contrées, nous formions le cortège avec nos arcs et nos flèches, nous décorant du titre de chevaliers, — sans savoir alors que nous ne faisions que répéter d'âge en âge une fête druidique survivant aux monarchies et aux religions nouvelles.

II. ADRIENNE

Je regagnai mon lit et je ne pus y trouver le repos. Plongé dans une demi-somnolence[1], toute ma jeunesse repassait en mes souvenirs. Cet état, où l'esprit résiste encore aux bizarres combinaisons du songe, permet souvent de voir se presser en quelques minutes les tableaux les plus saillants d'une longue période de la vie.

Je me représentais un château du temps de Henri IV avec ses toits pointus couverts d'ardoises et sa face rougeâtre aux encoignures dentelées de pierres jaunies, une grande place verte encadrée d'ormes et de tilleuls, dont le soleil couchant perçait le feuillage de ses traits enflammés[2]. Des jeunes filles dansaient en rond sur la pelouse en chantant de vieux airs transmis par leurs mères, et d'un français si naturellement pur, que l'on se sentait bien exister dans ce vieux pays du Valois, où, pendant plus de mille ans, a battu le cœur de la France.

J'étais le seul garçon dans cette ronde, où j'avais amené ma compagne toute jeune encore, Sylvie, une petite fille du hameau voisin, si vive et si fraîche, avec ses yeux noirs, son profil régulier et sa peau légèrement hâlée !... Je n'aimais qu'elle, je ne voyais qu'elle, — jusque-là ! À peine avais-je remarqué, dans la ronde où nous dansions, une blonde, grande et belle, qu'on appelait Adrienne. Tout d'un coup, suivant les règles de la danse, Adrienne se trouva placée seule avec moi au milieu du cercle. Nos tailles étaient pareilles. On nous dit de nous embrasser, et la danse et le chœur tournaient plus vivement que jamais. En lui donnant ce baiser, je ne pus m'empêcher de lui presser la main. Les longs anneaux roulés de ses cheveux d'or effleuraient mes joues. De ce moment, un trouble inconnu s'empara de moi. — La belle devait chanter pour avoir le droit de rentrer dans la danse. On s'assit autour d'elle, et aussitôt, d'une voix fraîche et pénétrante, légèrement voilée, comme celles des filles de ce pays brumeux, elle chanta une de ces anciennes romances pleines de mélancolie et d'amour[1], qui racontent toujours les malheurs d'une princesse enfermée dans sa tour par la volonté d'un père qui la punit d'avoir aimé. La mélodie se terminait à chaque stance par ces trilles chevrotants que font valoir si bien les voix jeunes, quand elles imitent par un frisson modulé la voix tremblante des aïeules.

À mesure qu'elle chantait, l'ombre descendait

des grands arbres, et le clair de lune naissant tombait sur elle seule, isolée de notre cercle attentif. — Elle se tut, et personne n'osa rompre le silence. La pelouse était couverte de faibles vapeurs condensées, qui déroulaient leurs blancs flocons sur les pointes des herbes. Nous pensions être en paradis. — Je me levai enfin, courant au parterre du château, où se trouvaient des lauriers, plantés dans de grands vases de faïence peints en camaïeu. Je rapportai deux branches, qui furent tressées en couronne et nouées d'un ruban. Je posai sur la tête d'Adrienne cet ornement, dont les feuilles lustrées éclataient sur ses cheveux blonds aux rayons pâles de la lune. Elle ressemblait à la Béatrice de Dante qui sourit au poète errant sur la lisière des saintes demeures.

Adrienne se leva. Développant sa taille élancée, elle nous fit un salut gracieux, et rentra en courant dans le château. — C'était, nous dit-on, la petite-fille de l'un des descendants d'une famille alliée aux anciens rois de France ; le sang des Valois coulait dans ses veines[1]. Pour ce jour de fête, on lui avait permis de se mêler à nos jeux ; nous ne devions plus la revoir, car le lendemain elle repartit pour un couvent où elle était pensionnaire.

Quand je revins près de Sylvie, je m'aperçus qu'elle pleurait. La couronne donnée par mes mains à la belle chanteuse était le sujet de ses larmes. Je lui offris d'en aller cueillir une autre, mais elle dit qu'elle n'y tenait nullement, ne la méritant pas. Je voulus en vain me défendre, elle ne me dit plus un seul mot pendant que je la reconduisais chez ses parents.

Rappelé moi-même à Paris pour y reprendre mes études, j'emportai cette double image d'une amitié tendre tristement rompue, — puis d'un amour impossible et vague, source de pensées douloureuses que la philosophie de collège était impuissante à calmer.

La figure d'Adrienne resta seule triomphante, — mirage de la gloire et de la beauté, adoucissant ou partageant les heures des sévères études. Aux vacances de l'année suivante, j'appris que cette belle à peine entrevue était consacrée par sa famille à la vie religieuse.

III. RÉSOLUTION

Tout m'était expliqué par ce souvenir à demi rêvé[1]. Cet amour vague et sans espoir, conçu pour une femme de théâtre, qui tous les soirs me prenait à l'heure du spectacle, pour ne me quitter qu'à l'heure du sommeil, avait son germe dans le souvenir d'Adrienne, fleur de la nuit éclose à la pâle clarté de la lune, fantôme rose et blond glissant sur l'herbe verte à demi baignée de blanches vapeurs. — La ressemblance d'une figure oubliée depuis des années se dessinait désormais avec une netteté singulière ; c'était un crayon estompé par le temps qui se faisait peinture, comme ces vieux croquis de maîtres admirés dans un musée, dont on retrouve ailleurs l'original éblouissant.

Aimer une religieuse sous la forme d'une actrice !... et si c'était la même[2] ! — Il y a de quoi devenir fou ! c'est un entraînement fatal où l'inconnu vous attire comme le feu follet fuyant sur les joncs d'une eau morte… Reprenons pied sur le réel.

Et Sylvie que j'aimais tant, pourquoi l'ai-je oubliée depuis trois ans ?… C'était une bien jolie fille, et la plus belle de Loisy !

Elle existe, elle, bonne et pure de cœur sans doute. Je revois sa fenêtre où le pampre s'enlace au rosier[1], la cage de fauvettes suspendue à gauche ; j'entends le bruit de ses fuseaux sonores et sa chanson favorite :

La belle était assise
Près du ruisseau coulant…

Elle m'attend encore… Qui l'aurait épousée ? elle est si pauvre !

Dans son village et dans ceux qui l'entourent, de bons paysans en blouse, aux mains rudes, à la face amaigrie, au teint hâlé ! Elle m'aimait seul, moi le petit Parisien, quand j'allais voir près de Loisy mon pauvre oncle, mort aujourd'hui. Depuis trois ans, je dissipe en seigneur le bien modeste qu'il m'a laissé et qui pouvait suffire à ma vie. Avec Sylvie, je l'aurais conservé. Le hasard m'en rend une partie. Il est temps encore.

À cette heure, que fait-elle ? Elle dort… Non, elle ne dort pas ; c'est aujourd'hui la fête de l'arc, la seule de l'année où l'on danse toute la nuit. — Elle est à la fête…

Quelle heure est-il ?

Je n'avais pas de montre.

Au milieu de toutes les splendeurs de bric-à-brac qu'il était d'usage de réunir à cette époque pour restaurer dans sa couleur locale un appartement d'autrefois, brillait d'un éclat rafraîchi une de ces pendules d'écaille de la renaissance, dont le dôme doré surmonté de la figure du Temps est supporté par des cariatides du style Médicis, reposant à leur tour sur des chevaux à demi cabrés. La Diane historique, accoudée sur son cerf, est en bas-relief sous le cadran, où s'étalent sur un fond niellé les chiffres émaillés des heures. Le mouvement, excellent sans doute, n'avait pas été remonté depuis deux siècles. — Ce n'était pas pour savoir l'heure que j'avais acheté cette pendule en Touraine[1].

Je descendis chez le concierge. Son coucou marquait une heure du matin. — En quatre heures, me dis-je, je puis arriver au bal de Loisy. Il y avait encore sur la place du Palais-Royal cinq ou six fiacres stationnant pour les habitués des cercles et des maisons de jeu : — À Loisy ! dis-je au plus apparent. — Où cela est-il ? — Près de Senlis, à huit lieues. — Je vais vous conduire à la poste, dit le cocher, moins préoccupé que moi.

Quelle triste route, la nuit, que cette route de Flandres[2], qui ne devient belle qu'en atteignant la zone des forêts ! Toujours ces deux files d'arbres monotones qui grimacent des formes vagues ; au-delà, des carrés de verdure et de terres remuées, bornés à gauche par les collines bleuâtres de Montmorency, d'Écouen, de Luzarches. Voici Gonesse, le bourg vulgaire plein des souvenirs de la ligue et de la fronde…

Plus loin que Louvres est un chemin bordé

de pommiers dont j'ai vu bien des fois les fleurs éclater dans la nuit comme des étoiles de la terre : c'était le plus court pour gagner les hameaux. — Pendant que la voiture monte les côtes, recomposons les souvenirs[1] du temps où j'y venais si souvent.

IV. UN VOYAGE À CYTHÈRE[2]

Quelques années s'étaient écoulées : l'époque où j'avais rencontré Adrienne devant le château n'était plus déjà qu'un souvenir d'enfance. Je me retrouvai à Loisy au moment de la fête patronale. J'allai de nouveau me joindre aux chevaliers de l'arc, prenant place dans la compagnie dont j'avais fait partie déjà. Des jeunes gens appartenant aux vieilles familles qui possèdent encore là plusieurs de ces châteaux perdus dans les forêts, qui ont plus souffert du temps que des révolutions, avaient organisé la fête. De Chantilly, de Compiègne et de Senlis accouraient de joyeuses cavalcades qui prenaient place dans le cortège rustique des compagnies de l'arc. Après la longue promenade à travers les villages et les bourgs, après la messe à l'église, les luttes d'adresse et la distribution des prix, les vainqueurs avaient été conviés à un repas qui se donnait dans une île ombragée de peupliers et de tilleuls, au milieu de l'un des étangs alimentés par la Nonette et la Thève. Des barques pavoisées nous conduisirent à l'île, — dont le choix avait été déterminé par l'existence d'un temple ovale à colonnes qui devait servir de salle pour le festin. — Là, comme à Ermenonville, le pays est semé de ces édifices légers de la fin du dix-huitième siècle, où des millionnaires philosophes se sont inspirés dans leurs plans du goût dominant d'alors. Je crois bien que ce temple avait dû être primitivement dédié à Uranie. Trois colonnes avaient succombé emportant dans leur chute une partie de l'architrave ; mais on avait déblayé l'intérieur de la salle, suspendu des guirlandes entre les colonnes, on avait rajeuni cette ruine moderne, — qui appartenait au paganisme de Boufflers ou de Chaulieu[1] plutôt qu'à celui d'Horace.

La traversée du lac avait été imaginée peut-être pour rappeler le *Voyage à Cythère* de Vatteau[2]. Nos costumes modernes dérangeaient seuls l'illusion. L'immense bouquet de la fête, enlevé du char qui le portait, avait été placé sur une grande barque ; le cortège des jeunes filles vêtues de blanc qui l'accompagnent selon l'usage avait pris place sur les bancs, et cette gracieuse *théorie* renouvelée des jours antiques se reflétait dans les eaux calmes de l'étang qui la séparait du bord de l'île si vermeil aux rayons du soir avec ses halliers d'épine, sa colonnade et ses clairs feuillages. Toutes les barques abordèrent en peu de temps. La corbeille portée en cérémonie occupa le centre de la table, et chacun prit place, les plus favorisés auprès des jeunes filles : il suffisait pour cela d'être connu de leurs parents. Ce fut la cause qui fit que je me retrouvai près de Sylvie. Son frère m'avait déjà rejoint dans la fête, il me fit la guerre de n'avoir pas depuis longtemps rendu visite à sa famille. Je m'excusai sur mes études, qui me retenaient à Paris, et l'assurai que j'étais venu dans cette intention. « Non, c'est moi qu'il a oubliée, dit Sylvie. Nous sommes des gens de village, et Paris est si au-dessus ! » Je voulus l'embrasser pour lui fermer la bouche ; mais elle me boudait encore, et il fallut que son frère intervînt pour qu'elle m'offrît sa joue d'un air indifférent. Je n'eus aucune joie de ce baiser dont bien d'autres obtenaient la faveur, car dans ce pays patriarcal où l'on salue tout homme qui passe, un baiser n'est autre chose qu'une politesse entre bonnes gens.

Une surprise avait été arrangée par les ordonnateurs de la fête. À la fin du repas, on vit s'envoler du fond de la vaste corbeille un cygne sauvage, jusque-là captif sous les fleurs, qui de ses fortes ailes, soulevant des lacis de guirlandes et de couronnes, finit par les disperser de tous côtés. Pendant qu'il s'élançait joyeux vers les dernières lueurs du soleil, nous rattrapions au hasard les couronnes, dont chacun parait aussitôt le front de sa voisine. J'eus le bonheur de saisir une des plus belles, et Sylvie souriante se laissa embrasser cette fois plus tendrement que l'autre. Je compris que j'effaçais ainsi le souvenir d'un autre temps. Je l'admirai cette fois sans partage, elle était devenue si belle ! Ce n'était plus cette petite fille de village que j'avais dédaignée pour une plus grande et plus faite aux grâces du monde. Tout en elle avait gagné : le charme de ses yeux noirs, si séduisants dès son enfance, était devenu irrésistible ; sous l'orbite arquée de ses sourcils, son sourire, éclairant tout à coup des traits réguliers et placides, avait quelque chose d'athénien. J'admirais cette physionomie digne de l'art antique au milieu des minois chiffonnés de ses compagnes. Ses mains délicatement allongées, ses bras qui avaient blanchi en s'arrondissant, sa taille dégagée, la faisaient tout autre que je ne l'avais vue. Je ne pus m'empêcher de lui dire combien je la trouvais différente d'elle-même, espérant couvrir ainsi mon ancienne et rapide infidélité.

Tout me favorisait d'ailleurs, l'amitié de son frère, l'impression charmante de cette fête, l'heure du soir et le lieu même où, par une fantaisie pleine de goût, on avait reproduit une image des galantes solennités d'autrefois. Tant que nous pouvions, nous échappions à la danse pour causer de nos souvenirs d'enfance et pour admirer en rêvant à deux les reflets du ciel sur les ombrages et sur les eaux. Il fallut que le frère de Sylvie nous arrachât à cette contemplation en disant qu'il était temps de retourner au village assez éloigné qu'habitaient ses parents.

V. LE VILLAGE

C'était à Loisy, dans l'ancienne maison du garde. Je les conduisis jusque-là, puis je retournai à Montagny, où je demeurais chez mon oncle. En quittant le chemin pour traverser un petit bois qui sépare Loisy de Saint-S....[1], je ne tardai pas à m'engager dans une *sente* profonde qui longe la forêt d'Ermenonville ; je m'attendais ensuite à rencontrer les murs d'un couvent qu'il fallait suivre pendant un quart de lieue. La lune se cachait de temps à autre sous les nuages, éclairant à peine les roches de grès sombre et les bruyères qui se multipliaient sous mes pas. À droite et à gauche, des lisières de forêts sans routes tracées, et toujours devant moi ces roches druidiques de la contrée qui gardent le souvenir des fils d'Armen[1] exterminés par les Romains ! Du haut de ces entassements sublimes, je voyais les étangs lointains se découper comme des miroirs sur la plaine brumeuse, sans pouvoir distinguer celui même où s'était passée la fête.

L'air était tiède et embaumé ; je résolus de ne pas aller plus loin et d'attendre le matin, en me couchant sur des touffes de bruyères. — En me réveillant, je reconnus peu à peu les points voisins du lieu où je m'étais égaré dans la nuit. À ma gauche, je vis se dessiner la longue ligne des murs du couvent de Saint-S...., puis de l'autre côté de la vallée, la butte aux Gens-d'Armes, avec les ruines ébréchées de l'antique résidence carlovingienne. Près de là, au-dessus des touffes de bois, les hautes masures de l'abbaye de Thiers découpaient sur l'horizon leurs pans de muraille percés de trèfles et d'ogives. Au-delà, le manoir gothique de Pont-armé, entouré d'eau comme autrefois, refléta bientôt les premiers feux du jour, tandis qu'on voyait se dresser au midi le haut donjon de la Tournelle et les quatre tours de Bertrand-Fosse sur les premiers coteaux de Montméliant.

Cette nuit m'avait été douce, et je ne songeais qu'à Sylvie ; cependant l'aspect du couvent me donna un instant l'idée que c'était celui peut-être qu'habitait Adrienne. Le tintement de la cloche du matin était encore dans mon oreille et m'avait sans doute réveillé. J'eus un instant l'idée de jeter un coup d'œil par-dessus les murs en gravissant la plus haute pointe des rochers ; mais en y réfléchissant, je m'en gardai comme d'une profanation. Le jour en grandissant chassa de ma pensée ce vain souvenir et n'y laissa plus que les traits rosés de Sylvie. « Allons la réveiller », me dis-je, et je repris le chemin de Loisy.

Voici le village au bout de la sente qui côtoie la forêt : vingt chaumières dont la vigne et les roses grimpantes festonnent les murs. Des fileuses matinales, coiffées de mouchoirs rouges, travaillent réunies devant une ferme. Sylvie n'est point avec elles. C'est presque une demoiselle depuis qu'elle exécute de fines dentelles[1], tandis que ses parents sont restés de bons villageois. — Je suis monté à sa chambre sans étonner personne ; déjà levée depuis longtemps, elle agitait les fuseaux de sa dentelle, qui claquaient avec un doux bruit sur le carreau vert que soutenaient ses genoux. « Vous voilà, paresseux, dit-elle avec son sourire divin, je suis sûre que vous sortez seulement de votre lit ! » Je lui racontai ma nuit passée sans sommeil, mes courses égarées à travers les bois et les roches. Elle voulut bien me plaindre un instant. « Si vous n'êtes pas fatigué, je vais vous faire courir encore. Nous irons voir ma grand'tante à Othys. » J'avais à peine répondu qu'elle se leva joyeusement, arrangea ses cheveux devant un miroir et se coiffa d'un chapeau de paille rustique. L'innocence et la joie éclataient dans ses yeux. Nous partîmes en suivant les bords de la Thève à travers les prés semés de marguerites et de boutons d'or, puis le long des bois de Saint-Laurent, franchissant parfois les ruisseaux et les halliers pour abréger la route. Les merles sifflaient dans les arbres, et les mésanges s'échappaient joyeusement des buissons frôlés par notre marche.

Parfois nous rencontrions sous nos pas les pervenches si chères à Rousseau[1], ouvrant leurs corolles bleues parmi ces longs rameaux de feuilles accouplées, lianes modestes qui arrêtaient les pieds furtifs de ma compagne. Indifférente aux souvenirs du philosophe genevois, elle cherchait çà et là les fraises parfumées, et moi, je lui parlais de *La Nouvelle Héloïse*, dont je récitais par cœur quelques passages. « Est-ce que c'est joli ? dit-elle. — C'est sublime. — Est-ce mieux qu'Auguste Lafontaine[2] ? — C'est plus tendre. — Oh ! bien, dit-elle, il faut que je lise cela. Je dirai à mon frère de me l'apporter la première fois qu'il ira à Senlis. » Et je continuais à réciter des fragments de l'*Héloïse* pendant que Sylvie cueillait des fraises.

VI. OTHYS

Au sortir du bois, nous rencontrâmes de grandes touffes de digitale pourprée ; elle en fit un énorme bouquet en me disant : « C'est pour ma tante ; elle sera si heureuse d'avoir ces belles fleurs dans sa chambre. » Nous n'avions plus qu'un bout de plaine à traverser pour gagner Othys. Le clocher du village pointait sur les coteaux bleuâtres qui vont de Montméliant à Dammartin. La Thève bruissait de nouveau parmi les grès et les cailloux, s'amincissant au voisinage de sa source, où elle se repose dans les prés, formant un petit lac au milieu des glaïeuls et des iris. Bientôt nous gagnâmes les premières maisons. La tante de Sylvie habitait une petite chaumière bâtie en pierres de grès inégales que revêtaient des treillages de houblon et de vigne-vierge ; elle vivait seule de quelques carrés de terre que les gens du village cultivaient pour elle depuis la mort de son mari. Sa nièce arrivant, c'était le feu dans la maison[1]. « Bonjour, la tante ! Voici vos enfants ! dit Sylvie ; nous avons bien faim ! » Elle l'embrassa tendrement, lui mit dans les bras la botte de fleurs, puis songea enfin à me présenter, en disant : « C'est mon amoureux ! »

J'embrassai à mon tour la tante, qui dit : « Il est gentil… C'est donc un blond !… — Il a de jolis cheveux fins, dit Sylvie. — Cela ne dure pas, dit la tante ; mais vous avez du temps devant vous, et toi qui es brune, cela t'assortit bien. — Il faut le faire déjeuner, la tante », dit Sylvie. Et elle alla cherchant dans les armoires, dans la huche, trouvant du lait, du pain bis, du sucre, étalant sans trop de soin sur la table les assiettes et les plats de faïence émaillés de larges fleurs et de coqs au vif plumage. Une jatte en porcelaine de Creil, pleine de lait, où nageaient les fraises, devint le centre du service, et après avoir dépouillé le jardin de quelques poignées de cerises et de groseilles, elle disposa deux vases de fleurs aux deux bouts de la nappe. Mais la tante avait dit ces belles paroles : « Tout cela, ce n'est que du dessert. Il faut me laisser faire à présent. » Et elle avait décroché la poêle et jeté un fagot dans la haute cheminée. « Je ne veux pas que tu touches à cela ! dit-elle à Sylvie, qui voulait l'aider ; abîmer tes jolis doigts qui font de la dentelle plus belle qu'à Chantilly ! tu m'en as donné, et je m'y connais. — Ah ! oui, la tante !... Dites donc, si vous en avez, des morceaux de l'ancienne, cela me fera des modèles. — Eh bien ! va voir là-haut, dit la tante, il y en a peut-être dans ma commode. — Donnez-moi les clefs, reprit Sylvie. — Bah ! dit la tante, les tiroirs sont ouverts. — Ce n'est pas vrai, il y en a un qui est toujours fermé. » Et pendant que la bonne femme nettoyait la poêle après l'avoir passée au feu, Sylvie dénouait des pendants de sa ceinture une petite clef d'un acier ouvragé qu'elle me fit voir avec triomphe.

Je la suivis, montant rapidement l'escalier de bois qui conduisait à la chambre. — Ô jeunesse, ô vieillesse saintes ! — qui donc eût songé à ternir la pureté d'un premier amour dans ce sanctuaire des souvenirs fidèles ? Le portrait d'un jeune homme du bon vieux temps souriait avec ses yeux noirs et sa bouche rose, dans un ovale au cadre doré, suspendu à la tête du lit rustique. Il portait l'uniforme des gardes-chasses de la maison de Condé ; son attitude à demi martiale, sa figure rose et bienveillante, son front pur sous ses cheveux poudrés, relevaient ce pastel, médiocre peut-être, des grâces de la jeunesse et de la simplicité. Quelque artiste modeste invité aux chasses princières s'était appliqué à le pourtraire de son mieux, ainsi que sa jeune épouse, qu'on voyait dans un autre médaillon, attrayante, maligne, élancée dans son corsage ouvert à échelle de rubans, agaçant de sa mine retroussée un oiseau posé sur son doigt. C'était pourtant la même bonne vieille qui cuisinait en ce moment, courbée sur le feu de l'âtre. Cela me fit penser aux fées des Funambules[1] qui cachent, sous leur masque ridé, un visage attrayant, qu'elles révèlent au dénouement, lorsqu'apparaît le temple de l'Amour et son soleil tournant qui rayonne de feux magiques. « Ô bonne tante, m'écriai-je, que vous étiez jolie ! — Et moi donc ? » dit Sylvie, qui était parvenue à ouvrir le fameux tiroir. Elle y avait trouvé une grande robe en taffetas flambé, qui criait du froissement de ses plis. « Je veux essayer si cela m'ira, dit-elle. Ah ! je vais avoir l'air d'une vieille fée ! »

« La fée des légendes éternellement jeune !... » dis-je en moi-même. — Et déjà Sylvie avait dégrafé sa robe d'indienne et la laissait tomber à ses pieds. La robe étoffée de la vieille tante s'ajusta parfaitement sur la taille mince de Sylvie, qui me dit de l'agrafer. « Oh ! les manches plates, que c'est ridicule ! » dit-elle. Et cependant les sabots garnis de dentelles découvraient admirablement ses bras nus, la gorge s'encadrait dans le pur corsage aux tulles jaunis, aux rubans passés, qui n'avait serré que bien peu les charmes évanouis de la tante. « Mais finissez-en ! Vous ne savez donc pas agrafer une robe ? » me disait Sylvie. Elle avait l'air de l'accordée de village de Greuze[2]. « Il faudrait de la poudre, dis-je. — Nous allons en trouver. » Elle fureta de nouveau dans les tiroirs. Oh ! que de richesses ! que cela sentait bon, comme cela brillait, comme cela chatoyait de vives couleurs et de modeste clinquant ! deux éventails de nacre un peu cassés, des boîtes de pâte à sujets chinois, un collier d'ambre et mille fanfreluches, parmi lesquelles éclataient deux petits souliers de droguet blanc avec des boucles incrustées de diamants d'Irlande ! « Oh ! je veux les mettre, dit Sylvie, si je trouve les bas brodés ! »

Un instant après, nous déroulions des bas de soie rose tendre à coins verts ; mais la voix de la tante, accompagnée du frémissement de la poêle, nous rappela soudain à la réalité. « Descendez vite ! » dit Sylvie, et quoi que je pusse dire, elle ne me permit pas de l'aider à se chausser. Cependant la tante venait de verser dans un plat le contenu de la poêle, une tranche de lard frite avec des œufs. La voix de Sylvie me rappela bientôt. « Habillez-vous vite ! » dit-elle, et entièrement vêtue elle-même, elle me montra les habits de noces du garde-chasse réunis sur la commode. En un instant, je me transformai en marié de l'autre siècle. Sylvie m'attendait sur l'escalier, et nous descendîmes tous deux en nous tenant par la main. La tante poussa un cri en se retournant : « Ô mes enfants ! » dit-elle, et elle se mit à pleurer, puis sourit à travers ses larmes. — C'était l'image de sa jeunesse, — cruelle et charmante apparition ! Nous nous assîmes auprès d'elle, attendris et presque graves, puis la gaieté nous revint bientôt, car, le premier moment passé, la bonne vieille ne songea plus qu'à se rappeler les fêtes pompeuses de sa noce. Elle retrouva même dans sa mémoire les chants alternés, d'usage alors, qui se répondaient d'un bout à l'autre de la table nuptiale, et le naïf épithalame[1] qui accompagnait les mariés rentrant après la danse. Nous répétions ces strophes si simplement rythmées, avec les hiatus et les assonances du temps ; amoureuses et fleuries comme le cantique de l'Ecclésiaste[1] ; — nous étions l'époux et l'épouse pour tout un beau matin d'été.

VII. CHÂALIS

Il est quatre heures du matin ; la route plonge dans un pli de terrain ; elle remonte. La voiture va passer à Orry, puis à La Chapelle. À gauche, il y a une route qui longe le bois d'Hallate. C'est par là qu'un soir le frère de Sylvie m'a conduit dans sa carriole à une solennité du pays. C'était, je crois, le soir de la Saint-Barthélemy. À travers les bois, par des routes peu frayées, son petit cheval volait comme au sabbat. Nous rattrapâmes le pavé à Mont-Lévêque, et quelques minutes plus tard nous nous arrêtions à la maison du garde, à l'ancienne abbaye de Châalis. — Châalis, encore un souvenir !

Cette vieille retraite des empereurs n'offre plus à l'admiration que les ruines de son cloître aux arcades byzantines, dont la dernière rangée se découpe encore sur les étangs, — reste oublié des fondations pieuses comprises parmi ces domaines qu'on appelait autrefois les métairies de Charlemagne. La religion, dans ce pays isolé du mouvement des routes et des villes, a conservé des traces particulières du long séjour qu'y ont fait les cardinaux de la maison d'Este à l'époque des Médicis : ses attributs et ses usages ont encore quelque chose de galant et de poétique, et l'on respire un parfum de la renaissance sous les arcs des chapelles à fines nervures, décorées par les artistes de l'Italie. Les figures des saints et des anges se profilent en rose sur les voûtes peintes d'un bleu tendre, avec des airs d'allégorie païenne qui font songer aux sentimentalités de Pétrarque et au mysticisme fabuleux de Francesco Colonna[1].

Nous étions des intrus, le frère de Sylvie et moi, dans la fête particulière qui avait lieu cette nuit-là. Une personne de très illustre naissance, qui possédait alors ce domaine, avait eu l'idée d'inviter quelques familles du pays à une sorte de représentation allégorique où devaient figurer quelques pensionnaires d'un couvent voisin. Ce n'était pas une réminiscence des tragédies de Saint-Cyr, cela remontait aux premiers essais lyriques importés en France du temps des Valois. Ce que je vis jouer était comme un mystère des anciens temps. Les costumes, composés de longues robes, n'étaient variés que par les couleurs de l'azur, de l'hyacinthe ou de l'aurore. La scène se passait entre les anges, sur les débris du monde détruit. Chaque voix chantait une des splendeurs de ce globe éteint, et l'ange de la mort définissait les causes de sa destruction. Un esprit montait de l'abîme, tenant en main l'épée flamboyante, et convoquait les autres à venir admirer la gloire du Christ vainqueur des enfers. Cet esprit, c'était Adrienne transfigurée par son costume, comme elle l'était déjà par sa vocation. Le nimbe de carton doré qui ceignait sa tête angélique nous paraissait bien naturellement un cercle de lumière ; sa voix avait gagné en force et en étendue, et les fioritures infinies du chant italien brodaient de leurs gazouillements d'oiseau les phrases sévères d'un récitatif pompeux[1].

En me retraçant ces détails, j'en suis à me demander s'ils sont réels, ou bien si je les ai rêvés. Le frère de Sylvie était un peu gris ce soir-là. Nous nous étions arrêtés quelques instants dans la maison du garde, — où, ce qui m'a frappé beaucoup, il y avait un cygne éployé sur la porte, puis au-dedans de hautes armoires en noyer sculpté, une grande horloge dans sa gaine, et des trophées d'arcs et de flèches d'honneur au-dessus d'une carte de tir rouge et verte. Un nain bizarre, coiffé d'un bonnet chinois, tenant d'une main une bouteille et de l'autre une bague, semblait inviter les tireurs à viser juste. Ce nain, je le crois bien, était en tôle découpée. Mais l'apparition d'Adrienne est-elle aussi vraie que ces détails et que l'existence incontestable de l'abbaye de Châalis ? Pourtant c'est bien le fils du garde qui nous avait introduits dans la salle où avait lieu la représentation ; nous étions près de la porte, derrière une nombreuse compagnie assise et gravement émue. C'était le jour de la Saint-Barthélemy, — singulièrement lié au souvenir des Médicis, dont les armes accolées à celles de la maison d'Este décoraient ces vieilles murailles… Ce souvenir est une obsession peut-être ! — Heureusement voici la voiture qui s'arrête sur la route du Plessis ; j'échappe au monde des rêveries, et je n'ai plus qu'un quart d'heure de marche pour gagner Loisy par des routes bien peu frayées.

VIII. LE BAL DE LOISY

Je suis entré au bal de Loisy à cette heure mélancolique et douce encore où les lumières pâlissent et tremblent aux approches du jour. Les tilleuls, assombris par en bas, prenaient à leurs cimes une teinte bleuâtre. La flûte champêtre ne luttait plus si vivement avec les trilles du rossignol. Tout le monde était pâle, et dans les groupes dégarnis j'eus peine à rencontrer des figures connues. Enfin j'aperçus la grande Lise, une amie de Sylvie. Elle m'embrassa. « Il y a longtemps qu'on ne t'a vu, Parisien ! dit-elle. — Oh ! oui, longtemps. — Et tu arrives à cette heure-ci ? — Par la poste. — Et pas trop vite ! — Je voulais voir Sylvie ; est-elle encore au bal ? — Elle ne sort qu'au matin ; elle aime tant à danser. »

En un instant, j'étais à ses côtés. Sa figure était fatiguée ; cependant son œil noir brillait toujours du sourire athénien d'autrefois. Un jeune homme se tenait près d'elle. Elle lui fit signe qu'elle renonçait à la contredanse suivante. Il se retira en saluant.

Le jour commençait à se faire. Nous sortîmes du bal, nous tenant par la main. Les fleurs de la chevelure de Sylvie se penchaient dans ses cheveux dénoués ; le bouquet de son corsage s'effeuillait aussi sur les dentelles fripées, savant ouvrage de sa main. Je lui offris de l'accompagner chez elle. Il faisait grand jour, mais le temps était sombre. La Thève bruissait à notre gauche, laissant à ses coudes des remous d'eau stagnante où s'épanouissaient les nénuphars jaunes et blancs, où éclatait comme des pâquerettes la frêle broderie des étoiles d'eau. Les plaines étaient couvertes de javelles et de meules de foin, dont l'odeur me portait à la tête sans m'enivrer, comme faisait autrefois la fraîche senteur des bois et des halliers d'épines fleuries.

Nous n'eûmes pas l'idée de les traverser de nouveau. — Sylvie, lui dis-je, vous ne m'aimez plus ! — Elle soupira. — Mon ami, me dit-elle, il faut se faire une raison ; les choses ne vont pas comme nous voulons dans la vie. Vous m'avez parlé autrefois de *La Nouvelle Héloïse*, je l'ai lue, et j'ai frémi en tombant d'abord sur cette phrase : « Toute jeune fille qui lira ce livre est perdue[1]. » Cependant j'ai passé outre, me fiant sur ma raison. Vous souvenez-vous du jour où nous avons revêtu les habits de noces de la tante ?... Les gravures du livre présentaient aussi les amoureux sous de vieux costumes du temps passé, de sorte que pour moi vous étiez Saint-Preux, et je me retrouvais dans Julie. Ah ! que n'êtes-vous revenu alors ! Mais vous étiez, disait-on, en Italie. Vous en avez vu là de bien plus jolies que moi ! — Aucune, Sylvie, qui ait votre regard et les traits purs de votre visage. Vous êtes une nymphe antique qui vous ignorez. D'ailleurs les bois de cette contrée sont aussi beaux que ceux de la campagne romaine. Il y a là-bas des masses de granit non moins sublimes, et une cascade qui tombe du haut des rochers comme celle de Terni. Je n'ai rien vu là-bas que je puisse regretter ici. — Et à Paris ? dit-elle. — À Paris...

Je secouai la tête sans répondre.

Tout à coup je pensai à l'image vaine qui m'avait égaré si longtemps.

— Sylvie, dis-je, arrêtons-nous ici, le voulez-vous ?

Je me jetai à ses pieds ; je confessai en pleurant à chaudes larmes mes irrésolutions, mes caprices ; j'évoquai le spectre funeste qui traversait ma vie.

— Sauvez-moi ! ajoutai-je, je reviens à vous pour toujours.

Elle tourna vers moi ses regards attendris…

En ce moment, notre entretien fut interrompu par de violents éclats de rire. C'était le frère de Sylvie qui nous rejoignait avec cette bonne gaieté rustique, suite obligée d'une nuit de fête, que des rafraîchissements nombreux avaient développée outre mesure. Il appelait le galant du bal, perdu au loin dans les buissons d'épines et qui ne tarda pas à nous rejoindre. Ce garçon n'était guère plus solide sur ses pieds que son compagnon, il paraissait plus embarrassé encore de la présence d'un Parisien que de celle de Sylvie. Sa figure candide, sa déférence mêlée d'embarras, m'empêchaient de lui en vouloir d'avoir été le danseur pour lequel on était resté si tard à la fête. Je le jugeais peu dangereux.

— Il faut rentrer à la maison, dit Sylvie à son frère. À tantôt ! me dit-elle en me tendant la joue.

L'amoureux ne s'offensa pas.

IX. ERMENONVILLE

Je n'avais nulle envie de dormir. J'allai à Montagny pour revoir la maison de mon oncle. Une grande tristesse me gagna dès que j'en entrevis la façade jaune et les contrevents verts. Tout semblait dans le même état qu'autrefois ; seulement il fallut aller chez le fermier pour avoir la clef de la porte. Une fois les volets ouverts, je revis avec attendrissement les vieux meubles conservés dans le même état et qu'on frottait de temps en temps, la haute armoire de noyer, deux tableaux flamands qu'on disait l'ouvrage d'un ancien peintre, notre aïeul ; de grandes estampes d'après Boucher, et toute une série encadrée de gravures de l'*Émile* et de *La Nouvelle Héloïse*, par Moreau[1] ; sur la table, un chien empaillé que j'avais connu vivant, ancien compagnon de mes courses dans les bois, le dernier carlin peut-être, car il appartenait à cette race perdue.

— Quant au perroquet, me dit le fermier, il vit toujours ; je l'ai retiré chez moi.

Le jardin présentait un magnifique tableau de végétation sauvage. J'y reconnus, dans un angle, un jardin d'enfant que j'avais tracé jadis. J'entrai tout frémissant dans le cabinet, où se voyait encore la petite bibliothèque pleine de livres choisis, vieux amis de celui qui n'était plus, et sur le bureau quelques débris antiques trouvés dans son jardin, des vases, des médailles romaines, collection locale qui le rendait heureux.

— Allons voir le perroquet, dis-je au fermier. — Le perroquet demandait à déjeuner comme en ses plus beaux jours, et me regarda de cet œil rond, bordé d'une peau chargée de rides, qui fait penser au regard expérimenté des vieillards.

Plein des idées tristes qu'amenait ce retour tardif

en des lieux si aimés, je sentis le besoin de revoir Sylvie, seule figure vivante et jeune encore qui me rattachât à ce pays. Je repris la route de Loisy. C'était au milieu du jour ; tout le monde dormait fatigué de la fête. Il me vint l'idée de me distraire par une promenade à Ermenonville, distant d'une lieue par le chemin de la forêt. C'était par un beau temps d'été. Je pris plaisir d'abord à la fraîcheur de cette route qui semble l'allée d'un parc. Les grands chênes d'un vert uniforme n'étaient variés que par les troncs blancs des bouleaux au feuillage frissonnant. Les oiseaux se taisaient, et j'entendais seulement le bruit que fait le pivert en frappant les arbres pour y creuser son nid. Un instant, je risquai de me perdre, car les poteaux dont les palettes annoncent diverses routes n'offrent plus, par endroits, que des caractères effacés. Enfin, laissant le *Désert* à gauche, j'arrivai au rond-point de la danse, où subsiste encore le banc des vieillards. Tous les souvenirs de l'antiquité philosophique, ressuscités par l'ancien possesseur du domaine[1], me revenaient en foule devant cette réalisation pittoresque de l'*Anacharsis*[2] et de l'*Émile*.

Lorsque je vis briller les eaux du lac à travers les branches des saules et des coudriers, je reconnus tout à fait un lieu où mon oncle, dans ses promenades, m'avait conduit bien des fois : c'est le *Temple de la philosophie*, que son fondateur n'a pas eu le bonheur de terminer. Il a la forme du temple de la sibylle Tiburtine, et, debout encore, sous l'abri d'un bouquet de pins, il étale tous ces grands noms de la pensée qui commencent par Montaigne et Descartes, et qui s'arrêtent à Rousseau. Cet édifice inachevé n'est déjà plus qu'une ruine, le lierre le festonne avec grâce, la ronce envahit les marches disjointes. Là, tout enfant, j'ai vu des fêtes où les jeunes filles vêtues de blanc venaient recevoir des prix d'étude et de sagesse. Où sont les buissons de roses qui entouraient la colline ? L'églantier et le framboisier en cachent les derniers plants, qui retournent à l'état sauvage. — Quant aux lauriers, les a-t-on coupés, comme le dit la chanson des jeunes filles qui ne veulent plus aller au bois ? Non, ces arbustes de la douce Italie ont péri sous notre ciel brumeux. Heureusement le troène de Virgile fleurit encore, comme pour appuyer la parole du maître inscrite au-dessus de la porte : *Rerum cognoscere causas*[1] *!* — Oui, ce temple tombe comme tant d'autres, les hommes oublieux ou fatigués se détourneront de ses abords, la nature indifférente reprendra le terrain que l'art lui disputait ; mais la soif de connaître restera éternelle, mobile de toute force et de toute activité !

Voici les peupliers de l'île, et la tombe de Rousseau, vide de ses cendres[2]. Ô sage ! tu nous avais donné le lait des forts, et nous étions trop faibles pour qu'il pût nous profiter. Nous avons oublié tes leçons que savaient nos pères, et nous avons perdu le sens de ta parole, dernier écho des sagesses antiques. Pourtant ne désespérons pas, et comme tu fis à ton suprême instant, tournons nos yeux vers le soleil !

J'ai revu le château, les eaux paisibles qui le bordent, la cascade qui gémit dans les roches, et cette chaussée réunissant les deux parties du village, dont quatre colombiers marquent les angles, la pelouse qui s'étend au-delà comme une savane, dominée par des coteaux ombreux ; la tour de Gabrielle se reflète de loin sur les eaux d'un lac factice étoilé de fleurs éphémères ; l'écume bouillonne, l'insecte bruit... Il faut échapper à l'air perfide qui s'exhale en gagnant les grès poudreux du désert et les landes où la bruyère rose relève le vert des fougères. Que tout cela est solitaire et triste ! Le regard enchanté de Sylvie, ses courses folles, ses cris joyeux, donnaient autrefois tant de charme aux lieux que je viens de parcourir ! C'était encore une enfant sauvage, ses pieds étaient nus, sa peau hâlée, malgré son chapeau de paille, dont le large ruban flottait pêle-mêle avec ses tresses de cheveux noirs. Nous allions boire du lait à la ferme suisse[1], et l'on me disait : « Qu'elle est jolie, ton amoureuse, petit Parisien ! » Oh ! ce n'est pas alors qu'un paysan aurait dansé avec elle ! Elle ne dansait qu'avec moi, une fois par an, à la fête de l'arc.

X. LE GRAND FRISÉ

J'ai repris le chemin de Loisy ; tout le monde était réveillé. Sylvie avait une toilette de demoiselle, presque dans le goût de la ville. Elle me fit monter à sa chambre avec toute l'ingénuité d'autrefois. Son œil étincelait toujours dans un sourire plein de charme, mais l'arc prononcé de ses sourcils lui donnait par instants un air sérieux. La chambre était décorée avec simplicité, pourtant les meubles étaient modernes, une glace à bordure dorée avait remplacé l'antique trumeau, où se voyait un berger d'idylle offrant un nid à une bergère bleue et rose. Le lit à colonnes chastement drapé de vieille perse à ramage était remplacé par une couchette de noyer garnie du rideau à flèche ; à la fenêtre, dans la cage où jadis étaient les fauvettes, il y avait des canaris. J'étais pressé de sortir de cette chambre où je ne trouvais rien du passé. — Vous ne travaillerez point à votre dentelle aujourd'hui ?... dis-je à Sylvie. — Oh ! je ne fais plus de dentelle, on n'en demande plus dans le pays ; même à Chantilly, la fabrique est fermée. — Que faites-vous donc ? — Elle alla chercher dans un coin de la chambre un instrument en fer qui ressemblait à une longue pince. — Qu'est-ce que c'est que cela ? — C'est ce qu'on appelle la mécanique ; c'est pour maintenir la peau des gants afin de les coudre. — Ah ! vous êtes gantière, Sylvie ? — Oui, nous travaillons ici pour Dammartin, cela donne beaucoup dans ce moment ; mais je ne fais rien aujourd'hui ; allons où vous voudrez. Je tournais les yeux vers la route d'Othys : elle secoua la tête ; je compris que la vieille tante n'existait plus. Sylvie appela un petit garçon et lui fit seller un âne. — Je suis encore fatiguée d'hier, dit-elle, mais la promenade me fera du bien ; allons à Châalis. Et nous voilà traversant la forêt, suivis du petit garçon armé d'une branche. Bientôt Sylvie voulut s'arrêter, et je l'embrassai en l'engageant à s'asseoir. La conversation entre nous ne pouvait plus être bien intime. Il fallut lui raconter ma vie à Paris, mes voyages... — Comment peut-on aller si loin ? dit-elle. — Je m'en étonne en vous revoyant. —

Oh ! cela se dit ! — Et convenez que vous étiez moins jolie autrefois. — Je n'en sais rien. — Vous souvenez-vous du temps où nous étions enfants et vous la plus grande ? — Et vous le plus sage ! — Oh ! Sylvie ! — On nous mettait sur l'âne chacun dans un panier. — Et nous ne nous disions pas *vous*... Te rappelles-tu que tu m'apprenais à pêcher des écrevisses sous les ponts de la Thève et de la Nonette ? — Et toi, te souviens-tu de ton frère de lait qui t'a un jour retiré *de l'ieau*. — Le *grand frisé* ! c'est lui qui m'avait dit qu'on pouvait la passer... *l'ieau* !

Je me hâtai de changer la conversation. Ce souvenir m'avait vivement rappelé l'époque où je venais dans le pays, vêtu d'un petit habit à l'anglaise qui faisait rire les paysans. Sylvie seule me trouvait bien mis ; mais je n'osais lui rappeler cette opinion d'un temps si ancien. Je ne sais pourquoi ma pensée se porta sur les habits de noces que nous avions revêtus chez la vieille tante à Othys. Je demandai ce qu'ils étaient devenus. — Ah ! la bonne tante, dit Sylvie, elle m'avait prêté sa robe pour aller danser au carnaval à Dammartin, il y a de cela deux ans. L'année d'après, elle est morte, la pauvre tante !

Elle soupirait et pleurait, si bien que je ne pus lui demander par quelle circonstance elle était allée à un bal masqué ; mais, grâce à ses talents d'ouvrière, je comprenais assez que Sylvie n'était plus une paysanne. Ses parents seuls étaient restés dans leur condition, et elle vivait au milieu d'eux comme une fée industrieuse, répandant l'abondance autour d'elle[1].

XI. RETOUR

La vue se découvrait au sortir du bois. Nous étions arrivés au bord des étangs de Châalis. Les galeries du cloître, la chapelle aux ogives élancées, la tour féodale et le petit château qui abrita les amours de Henri IV et de Gabrielle se teignaient des rougeurs du soir sur le vert sombre de la forêt. — C'est un paysage de Walter Scott, n'est-ce pas ? disait Sylvie. — Et qui vous a parlé de Walter Scott ? lui dis-je. Vous avez donc bien lu depuis trois ans !... Moi, je tâche d'oublier les livres, et ce qui me charme, c'est de revoir avec vous cette vieille abbaye, où, tout petits enfants, nous nous cachions dans les ruines. Vous souvenez-vous, Sylvie, de la peur que vous aviez quand le gardien nous racontait l'histoire des moines rouges[1] ? — Oh ! ne m'en parlez pas. — Alors chantez-moi la chanson de la belle fille enlevée au jardin de son père, sous le rosier blanc[2]. — On ne chante plus cela. — Seriez-vous devenue musicienne ? — Un peu. — Sylvie, Sylvie, je suis sûr que vous chantez des airs d'opéra ! — Pourquoi vous plaindre ? — Parce que j'aimais les vieux airs, et que vous ne saurez plus les chanter.

Sylvie modula quelques sons d'un grand air d'opéra moderne.... Elle *phrasait*[3] !

Nous avions tourné les étangs voisins. Voici la verte pelouse, entourée de tilleuls et d'ormeaux, où nous avons dansé souvent ! J'eus l'amour-propre de définir les vieux murs carlovingiens et déchiffrer les armoiries de la maison d'Este[1]. — Et vous ! comme vous avez lu plus que moi ! dit Sylvie. Vous êtes donc un savant ?

J'étais piqué de son ton de reproche. J'avais jusque-là cherché l'endroit convenable pour renouveler le moment d'expansion du matin ; mais que lui dire avec l'accompagnement d'un âne et d'un petit garçon très éveillé, qui prenait plaisir à se rapprocher toujours pour entendre parler un Parisien ? Alors j'eus le malheur de raconter l'apparition de Châalis, restée dans mes souvenirs. Je menai Sylvie dans la salle même du château où j'avais entendu chanter Adrienne. — Oh ! que je vous entende ! lui dis-je ; que votre voix chérie résonne sous ces voûtes et en chasse l'esprit qui me tourmente, fût-il divin ou bien fatal ! — Elle répéta les paroles et le chant après moi :

Anges, descendez promptement
Au fond du purgatoire !...

— C'est bien triste ! me dit-elle.

— C'est sublime... Je crois que c'est du Porpora[2], avec des vers traduits au seizième siècle.

— Je ne sais pas, répondit Sylvie.

Nous sommes revenus par la vallée, en suivant le chemin de Charlepont, que les paysans, peu étymologistes de leur nature, s'obstinent à appeler *Châllepont*. Sylvie, fatiguée de l'âne, s'appuyait sur mon bras. La route était déserte ; j'essayai de parler des choses que j'avais dans le cœur, mais, je ne sais pourquoi, je ne trouvais que des expressions vulgaires, ou bien tout à coup quelque phrase pompeuse de roman, — que Sylvie pouvait avoir lue. Je m'arrêtais alors avec un goût tout classique, et elle s'étonnait parfois de ces effusions interrompues. Arrivés aux murs de Saint-S..., il fallait prendre garde à notre marche. On traverse des prairies humides où serpentent les ruisseaux. — Qu'est devenue la religieuse ? dis-je tout à coup.

— Ah ! vous êtes terrible avec votre religieuse... Eh bien !... eh bien ! cela a mal tourné.

Sylvie ne voulut pas m'en dire un mot de plus.

Les femmes sentent-elles vraiment que telle ou telle parole passe sur les lèvres sans sortir du cœur ? On ne le croirait pas, à les voir si facilement abusées, à se rendre compte des choix qu'elles font le plus souvent : il y a des hommes qui jouent si bien la comédie de l'amour ! Je n'ai jamais pu m'y faire, quoique sachant que certaines acceptent sciemment d'être trompées. D'ailleurs un amour qui remonte à l'enfance est quelque chose de sacré... Sylvie, que j'avais vue grandir, était pour moi comme une sœur. Je ne pouvais tenter une séduction... Une tout autre idée vint traverser mon esprit. — À cette heure-ci, me dis-je, je serais au théâtre... Qu'est-ce qu'Aurélie[1] (c'était le nom de l'actrice) doit donc jouer ce soir ? Évidemment le rôle de la princesse dans le drame nouveau. Oh ! le troisième acte, qu'elle y est touchante !... Et dans la scène d'amour du second ! avec ce jeune premier tout ridé...

— Vous êtes dans vos réflexions ? dit Sylvie, et elle se mit à chanter :

À Dammartin l'y a trois belles filles :
L'y en a z'une plus belle que le jour...

— Ah ! méchante ! m'écriai-je, vous voyez bien que vous en savez encore des vieilles chansons.

— Si vous veniez plus souvent ici, j'en retrouverais, dit-elle, mais il faut songer au solide. Vous avez vos affaires de Paris, j'ai mon travail ; ne rentrons pas trop tard : il faut que demain je sois levée avec le soleil.

XII. LE PÈRE DODU[1]

J'allais répondre, j'allais tomber à ses pieds, j'allais offrir la maison de mon oncle, qu'il m'était possible encore de racheter, car nous étions plusieurs héritiers, et cette petite propriété était restée indivise ; mais en ce moment nous arrivions à Loisy. On nous attendait pour souper. La soupe à l'oignon répandait au loin son parfum patriarcal. Il y avait des voisins invités pour ce lendemain de fête. Je reconnus tout de suite un vieux bûcheron, le père Dodu, qui racontait jadis aux veillées des histoires si comiques ou si terribles. Tour à tour berger, messager, garde-chasse, pêcheur, braconnier même, le père Dodu fabriquait à ses moments perdus des coucous et des tourne-broches. Pendant longtemps il s'était consacré à promener les Anglais dans Ermenonville, en les conduisant aux lieux de méditation de Rousseau et en leur racontant ses derniers moments. C'était lui qui avait été le petit garçon que le philosophe employait à classer ses herbes, et à qui il donna l'ordre de cueillir les ciguës dont il exprima le suc dans sa tasse de café au lait[1]. L'aubergiste de *La Croix d'Or* lui contestait ce détail ; de là des haines prolongées. On avait longtemps reproché au père Dodu la possession de quelques secrets bien innocents, comme de guérir les vaches avec un verset dit à rebours et le signe de croix figuré du pied gauche, mais il avait de bonne heure renoncé à ces superstitions, — grâce au souvenir, disait-il, des conversations de Jean-Jacques.

— Te voilà ! petit Parisien, me dit le père Dodu. Tu viens pour débaucher nos filles ? — Moi, père Dodu ? — Tu les emmènes dans les bois pendant que le loup n'y est pas ? — Père Dodu, c'est vous qui êtes le loup. — Je l'ai été tant que j'ai trouvé des brebis ; à présent je ne rencontre plus que des chèvres, et qu'elles savent bien se défendre ! Mais vous autres, vous êtes des malins à Paris. Jean-Jacques avait bien raison de dire : « L'homme se corrompt dans l'air empoisonné des villes. » — Père Dodu, vous savez trop bien que l'homme se corrompt partout.

Le père Dodu se mit à entonner un air à boire ; on voulut en vain l'arrêter à un certain couplet scabreux que tout le monde savait par cœur. Sylvie ne voulut pas chanter, malgré nos prières, disant qu'on ne chantait plus à table. J'avais remarqué déjà que l'amoureux de la veille était assis à sa gauche. Il y avait je ne sais quoi dans sa figure ronde, dans ses cheveux ébouriffés, qui ne m'était pas inconnu. Il se leva et vint derrière ma chaise en disant : « Tu ne me reconnais donc pas, Parisien ? » Une bonne femme, qui venait de rentrer au dessert après nous avoir servis, me dit à l'oreille :

« Vous ne reconnaissez pas votre frère de lait ? » Sans cet avertissement, j'allais être ridicule. « Ah ! c'est toi, *grand frisé* ! dis-je, c'est toi, le même qui m'a retiré de *l'ieau* ! » Sylvie riait aux éclats de cette reconnaissance. « Sans compter, disait ce garçon en m'embrassant, que tu avais une belle montre en argent, et qu'en revenant tu étais bien plus inquiet de ta montre que de toi-même, parce qu'elle ne marchait plus ; tu disais : « La *bête* est *nayée*, ça ne fait plus tic-tac ; qu'est-ce que mon oncle va dire[1] ?... »

— Une bête dans une montre ! dit le père Dodu, voilà ce qu'on leur fait croire à Paris, aux enfants !

Sylvie avait sommeil, je jugeai que j'étais perdu dans son esprit. Elle remonta à sa chambre, et pendant que je l'embrassais, elle dit : « À demain, venez nous voir ! »

Le père Dodu était resté à table avec Sylvain et mon frère de lait ; nous causâmes longtemps autour d'un flacon de *ratafiat* de Louvres. « Les hommes sont égaux, dit le père Dodu entre deux couplets, je bois avec un pâtissier comme je ferais avec un prince. — Où est le pâtissier ? dis-je. — Regarde à côté de toi ! un jeune homme qui a l'ambition de s'établir. »

Mon frère de lait parut embarrassé. J'avais tout compris. — C'est une fatalité qui m'était réservée d'avoir un frère de lait dans un pays illustré par Rousseau, — qui voulait supprimer les nourrices ! — Le père Dodu m'apprit qu'il était fort question du mariage de Sylvie avec le *grand frisé*, qui voulait aller former un établissement de pâtisserie à Dammartin. Je n'en demandai pas plus. La voiture de

Nanteuil-le-Haudouin me ramena le lendemain à Paris.

XIII. AURÉLIE

À Paris ! — La voiture met cinq heures. Je n'étais pressé que d'arriver pour le soir. Vers huit heures, j'étais assis dans ma stalle accoutumée ; Aurélie répandit son inspiration et son charme sur des vers faiblement inspirés de Schiller, que l'on devait à un talent de l'époque[1]. Dans la scène du jardin, elle devint sublime. Pendant le quatrième acte, où elle ne paraissait pas, j'allai acheter un bouquet chez madame Prévost[2]. J'y insérai une lettre fort tendre signée : *Un inconnu*. Je me dis : Voilà quelque chose de fixé pour l'avenir, — et le lendemain j'étais sur la route d'Allemagne.

Qu'allais-je y faire ? Essayer de remettre de l'ordre dans mes sentiments. — Si j'écrivais un roman, jamais je ne pourrais faire accepter l'histoire d'un cœur épris de deux amours simultanés. Sylvie m'échappait par ma faute ; mais la revoir un jour avait suffi pour relever mon âme : je la plaçais désormais comme une statue souriante dans le temple de la Sagesse. Son regard m'avait arrêté au bord de l'abîme. — Je repoussais avec plus de force encore l'idée d'aller me présenter à Aurélie, pour lutter un instant avec tant d'amoureux vulgaires qui brillaient un instant près d'elle et retombaient brisés. — Nous verrons quelque jour, me dis-je, si cette femme a un cœur.

Un matin, je lus dans un journal qu'Aurélie était

malade. Je lui écrivis des montagnes de Salzbourg. La lettre était si empreinte de mysticisme germanique, que je n'en devais pas attendre un grand succès, mais aussi je ne demandais pas de réponse. Je comptais un peu sur le hasard et sur — l'*inconnu*.

Des mois se passent. À travers mes courses et mes loisirs, j'avais entrepris de fixer dans une action poétique les amours du peintre Colonna pour la belle Laura, que ses parents firent religieuse, et qu'il aima jusqu'à la mort[1]. Quelque chose dans ce sujet se rapportait à mes préoccupations constantes. Le dernier vers du drame écrit, je ne songeai plus qu'à revenir en France.

Que dire maintenant qui ne soit l'histoire de tant d'autres ? J'ai passé par tous les cercles de ces lieux d'épreuves qu'on appelle théâtres. « J'ai mangé du tambour et bu de la cymbale », comme dit la phrase dénuée de sens apparent des initiés d'Éleusis[2]. — Elle signifie sans doute qu'il faut au besoin passer les bornes du non-sens et de l'absurdité : la raison pour moi, c'était de conquérir et de fixer mon idéal.

Aurélie avait accepté le rôle principal dans le drame que je rapportais d'Allemagne. Je n'oublierai jamais le jour où elle me permit de lui lire la pièce. Les scènes d'amour étaient préparées à son intention. Je crois bien que je les dis avec âme, mais surtout avec enthousiasme. Dans la conversation qui suivit, je me révélai comme l'*inconnu* des deux lettres. Elle me dit : — Vous êtes bien fou ; mais revenez me voir... Je n'ai jamais pu trouver quelqu'un qui sût m'aimer.

Ô femme ! tu cherches l'amour… Et moi, donc ?

Les jours suivants, j'écrivis les lettres les plus tendres, les plus belles que sans doute elle eût jamais reçues. J'en recevais d'elle qui étaient pleines de raison. Un instant elle fut touchée, m'appela près d'elle, et m'avoua qu'il lui était difficile de rompre un attachement plus ancien. — Si c'est bien *pour moi* que vous m'aimez, dit-elle, vous comprendrez que je ne puis être qu'à un seul.

Deux mois plus tard, je reçus une lettre pleine d'effusion. Je courus chez elle. — Quelqu'un me donna dans l'intervalle un détail précieux. Le beau jeune homme que j'avais rencontré une nuit au cercle venait de prendre un engagement dans les spahis.

L'été suivant, il y avait des courses à Chantilly. La troupe du théâtre où jouait Aurélie donnait là une représentation. Une fois dans le pays, la troupe était pour trois jours aux ordres du régisseur. — Je m'étais fait l'ami de ce brave homme, ancien Dorante des comédies de Marivaux, longtemps jeune premier de drame, et dont le dernier succès avait été le rôle d'amoureux dans la pièce imitée de Schiller, où mon binocle me l'avait montré si ridé. De près, il paraissait plus jeune, et, resté maigre, il produisait encore de l'effet dans les provinces. Il avait du feu. J'accompagnais la troupe en qualité de *seigneur poète* ; je persuadai au régisseur d'aller donner des représentations à Senlis et à Dammartin. Il penchait d'abord pour Compiègne ; mais Aurélie fut de mon avis. Le lendemain, pendant que l'on allait traiter avec les propriétaires des salles et les autorités, je louai des chevaux, et nous prîmes la route des étangs de Commelle pour aller déjeuner au château de la reine Blanche. Aurélie, en amazone, avec ses cheveux blonds flottants, traversait la forêt comme une reine d'autrefois, et les paysans s'arrêtaient éblouis. — Madame de F...[1] était la seule qu'ils eussent vue si imposante et si gracieuse dans ses saluts. — Après le déjeuner, nous descendîmes dans des villages rappelant ceux de la Suisse, où l'eau de la Nonette fait mouvoir des scieries. Ces aspects chers à mes souvenirs l'intéressaient sans l'arrêter. J'avais projeté de conduire Aurélie au château, près d'Orry, sur la même place verte où pour la première fois j'avais vu Adrienne. — Nulle émotion ne parut en elle. Alors je lui racontai tout ; je lui dis la source de cet amour entrevu dans les nuits, rêvé plus tard, réalisé en elle. Elle m'écoutait sérieusement et me dit : — Vous ne m'aimez pas ! Vous attendez que je vous dise : La comédienne est la même que la religieuse ; vous cherchez un drame, voilà tout, et le dénouement vous échappe. Allez, je ne vous crois plus !

Cette parole fut un éclair. Ces enthousiasmes bizarres que j'avais ressentis si longtemps, ces rêves, ces pleurs, ces désespoirs et ces tendresses,... ce n'était donc pas l'amour ? Mais où donc est-il ?

Aurélie joua le soir à Senlis. Je crus m'apercevoir qu'elle avait un faible pour le régisseur, — le jeune premier ridé. Cet homme était d'un caractère excellent, et lui avait rendu des services.

Aurélie m'a dit un jour : — Celui qui m'aime, le voilà !

XIV. DERNIER FEUILLET

Telles sont les chimères qui charment et égarent au matin de la vie. J'ai essayé de les fixer sans beaucoup d'ordre, mais bien des cœurs me comprendront. Les illusions tombent l'une après l'autre, comme les écorces d'un fruit, et le fruit, c'est l'expérience. Sa saveur est amère ; elle a pourtant quelque chose d'âcre qui fortifie, — qu'on me pardonne ce style vieilli. Rousseau dit que le spectacle de la nature console de tout. Je cherche parfois à retrouver mes bosquets de Clarens[1] perdus au nord de Paris, dans les brumes. Tout cela est bien changé !

Ermenonville ! pays où fleurissait encore l'idylle antique, — traduite une seconde fois d'après Gessner[2] ! tu as perdu ta seule étoile[3], qui chatoyait pour moi d'un double éclat. Tour à tour bleue et rose comme l'astre trompeur d'Aldebaran[4], c'était Adrienne ou Sylvie, — c'étaient les deux moitiés d'un seul amour. L'une était l'idéal sublime, l'autre la douce réalité. Que me font maintenant tes ombrages et tes lacs, et même ton désert ? Othys, Montagny, Loisy, pauvres hameaux voisins, Châalis, — que l'on restaure, — vous n'avez rien gardé de tout ce passé ! Quelquefois j'ai besoin de revoir ces lieux de solitude et de rêverie. J'y relève tristement en moi-même les traces fugitives d'une époque où le naturel était affecté ; je souris parfois en lisant sur le flanc des granits certains vers de Roucher[5], qui m'avaient paru sublimes, — ou des maximes de bienfaisance au-dessus d'une fontaine ou d'une grotte consacrée à Pan. Les étangs, creusés à si grands frais, étalent en vain leur eau morte que le cygne dédaigne. Il n'est plus, le temps où les chasses de Condé passaient avec leurs amazones fières, où les cors se répondaient de loin, multipliés par les échos !... Pour se rendre à Ermenonville, on ne trouve plus aujourd'hui de route directe. Quelquefois j'y vais par Creil et Senlis, d'autres fois par Dammartin.

À Dammartin, l'on n'arrive jamais que le soir. Je vais coucher alors à l'*Image Saint-Jean*. On me donne d'ordinaire une chambre assez propre tendue en vieille tapisserie avec un trumeau au-dessus de la glace. Cette chambre est un dernier retour vers le bric-à-brac, auquel j'ai depuis longtemps renoncé. On y dort chaudement sous l'édredon, qui est d'usage dans ce pays. Le matin, quand j'ouvre la fenêtre, encadrée de vigne et de roses, je découvre avec ravissement un horizon vert de dix lieues, où les peupliers s'alignent comme des armées. Quelques villages s'abritent çà et là sous leurs clochers aigus, construits, comme on dit là, en pointes d'ossements. On distingue d'abord Othys, — puis Ève, puis Ver ; on distinguerait Ermenonville à travers le bois, s'il avait un clocher, — mais dans ce lieu philosophique on a bien négligé l'église. Après avoir rempli mes poumons de l'air si pur qu'on respire sur ces plateaux, je descends gaiement et je vais faire un tour chez le pâtissier. « Te voilà, grand frisé ! — Te voilà, petit Parisien ! » Nous nous donnons les coups de poings amicaux de l'enfance, puis je gravis un certain escalier où les joyeux cris de deux enfants accueillent ma venue. Le sourire athénien de Sylvie illumine ses traits charmés. Je me dis : « Là était le bonheur peut-être[1] ; cependant... »

Je l'appelle quelquefois Lolotte, et elle me trouve un peu de ressemblance avec Werther[2], moins les pistolets, qui ne sont plus de mode. Pendant que le *grand frisé* s'occupe du déjeuner, nous allons promener les enfants dans les allées de tilleuls qui ceignent les débris des vieilles tours de brique du château. Tandis que ces petits s'exercent, au tir des compagnons de l'arc, à ficher dans la paille les flèches paternelles, nous lisons quelques poésies ou quelques pages de ces livres si courts qu'on ne fait plus guère.

J'oubliais de dire que le jour où la troupe dont faisait partie Aurélie a donné une représentation à Dammartin, j'ai conduit Sylvie au spectacle, et je lui ai demandé si elle ne trouvait pas que l'actrice ressemblait à une personne qu'elle avait connue déjà. — À qui donc ? — Vous souvenez-vous d'Adrienne ?

Elle partit d'un grand éclat de rire en disant : « Quelle idée ! » Puis, comme se le reprochant, elle reprit en soupirant : « Pauvre Adrienne ! elle est morte au couvent de Saint-S..., vers 1832. »

Chansons et légendes du Valois

Chaque fois[1] que ma pensée se reporte aux souvenirs de cette province du Valois, je me rappelle avec ravissement les chants et les récits qui ont bercé mon enfance. La maison de mon oncle était toute pleine de voix mélodieuses, et celles des servantes qui nous avaient suivis à Paris chantaient tout le jour les ballades joyeuses de leur jeunesse, dont malheureusement je ne puis citer les airs. J'en ai donné plus haut quelques fragments. Aujourd'hui, je ne puis arriver à les compléter, car tout cela est profondément oublié ; le secret en est demeuré dans la tombe des aïeules. On publie aujourd'hui les chansons patoises de Bretagne ou d'Aquitaine[2], mais aucun chant des vieilles provinces où s'est toujours parlée la vraie langue française ne nous sera conservé. C'est qu'on n'a jamais voulu admettre dans les livres des vers composés sans souci de la rime, de la prosodie et de la syntaxe ; la langue du berger, du marinier, du charretier qui passe, est bien la nôtre, à quelques élisions près, avec des tournures douteuses, des mots hasardés, des terminaisons et des liaisons de fantaisie, mais elle porte un cachet d'ignorance qui révolte l'homme du monde, bien plus que ne fait le patois. Pourtant ce langage a ses règles, ou du moins ses habitudes régulières, et il est fâcheux que des couplets tels que ceux de la célèbre romance : *Si j'étais hirondelle*, soient abandonnés, pour deux ou trois consonnes singulièrement placées, au répertoire chantant des concierges et des cuisinières.

Quoi de plus gracieux et de plus poétique pourtant :

Si j'étais hirondelle !
Que je puisse voler,
Sur votre sein, la belle,
J'irais me reposer !

Il faut continuer, il est vrai, par : *J'ai z'un coquin de frère...*, ou risquer un hiatus terrible ; mais pourquoi aussi la langue a-t-elle repoussé ce *z* si commode, si liant, si séduisant qui faisait tout le charme du langage de l'ancien Arlequin, et que la jeunesse dorée du Directoire a tenté en vain de faire passer dans le langage des salons ?

Ce ne serait rien encore, et de légères corrections rendraient à notre poésie légère, si pauvre, si peu inspirée, ces charmantes et naïves productions de poètes modestes ; mais la rime, cette sévère rime française, comment s'arrangerait-elle du couplet suivant :

La fleur de l'olivier
Que vous avez aimé,

Charmante beauté !
Et vos beaux yeux charmants,
Que mon cœur aime tant,
Les faudra-t-il quitter ?

Observez que la musique se prête admirablement à ces hardiesses ingénues, et trouve dans les assonances, ménagées suffisamment d'ailleurs, toutes les ressources que la poésie doit lui offrir. Voilà deux charmantes chansons, qui ont comme un parfum de la Bible, dont la plupart des couplets sont perdus, parce que personne n'a jamais osé les écrire ou les imprimer. Nous en dirons autant de celle où se trouve la strophe suivante :

Enfin vous voilà donc,
Ma belle mariée,
Enfin vous voilà donc
À votre époux liée,
Avec un long fil d'or
Qui ne rompt qu'à la mort !

Quoi de plus pur d'ailleurs comme langue et comme pensée ; mais l'auteur de cet épithalame ne savait pas écrire, et l'imprimerie nous conserve les gravelures de Collé, de Piis et de Panard[1] !

Les[2] richesses poétiques n'ont jamais manqué au marin, ni au soldat français, qui ne rêvent dans leurs chants que filles de roi, sultanes, et même présidentes, comme dans la ballade trop connue :

C'est dans la ville de Bordeaux
Qu'il est arrivé trois vaisseaux, etc.

Mais le tambour des gardes françaises, où s'arrêtera-t-il, celui-là ?

Un joli tambour s'en allait à la guerre, etc.

La fille du roi est à sa fenêtre, le tambour la demande en mariage : — Joli tambour, dit le roi, tu n'es pas assez riche ! — Moi ? dit le tambour sans se déconcerter,

J'ai trois vaisseaux sur la mer gentille,
L'un chargé d'or, l'autre de perles fines,
Et le troisième pour promener ma mie !

— Touche là, tambour, lui dit le roi, tu n'auras pas ma fille ! — Tant pis ! dit le tambour, j'en trouverai de plus gentilles !...

Après[1] tant de richesses dévolues à la verve un peu gasconne du militaire et du marin, envierons-nous le sort du simple berger ? Le voilà qui chante et qui rêve :

Au jardin de mon père,
Vole, mon cœur vole !
Il y a z'un pommier doux,
Tout doux !
Trois belles princesses,
Vole, mon cœur vole,
Trois belles princesses
Sont couchées dessous, etc.

Est-ce donc la vraie poésie, est-ce la soif mélancolique de l'idéal qui manque à ce peuple pour comprendre et produire des chants dignes d'être comparés à ceux de l'Allemagne et de l'Angleterre ? Non, certes ; mais il est arrivé qu'en France la littérature n'est jamais descendue au niveau de la grande foule ; les poètes académiques du dix-septième et du dix-huitième siècle n'auraient pas plus compris de telles inspirations, que les paysans n'eussent admiré leurs odes, leurs épîtres et leurs poésies fugitives, si incolores, si gourmées. Pourtant comparons encore la chanson que je vais citer à tous ces bouquets à Chloris qui faisaient vers ce temps l'admiration des belles compagnies.

Quand Jean Renaud de la guerre revint,
Il en revint triste et chagrin ;
« Bonjour, ma mère.
Bonjour, mon fils !
Ta femme est accouchée d'un petit. »

« Allez, ma mère, allez devant,
Faites-moi dresser un beau lit blanc ;
Mais faites-le dresser si bas
Que ma femme ne l'entende pas ! »

Et quand ce fut vers le minuit,
Jean Renaud a rendu l'esprit[1].

Ici la scène de la ballade change et se transporte dans la chambre de l'accouchée :

« Ah ! dites, ma mère, ma mie,
Ce que j'entends pleurer ici ?

Ma fille, ce sont les enfants
Qui se plaignent du mal de dents. »

« Ah ! dites, ma mère, ma mie,
Ce que j'entends clouer ici ?
Ma fille, c'est le charpentier,
Qui raccommode le plancher ! »

« Ah ! dites, ma mère, ma mie,
Ce que j'entends chanter ici ?
Ma fille, c'est la procession
Qui fait le tour de la maison ! »

« Mais dites, ma mère, ma mie,
Pourquoi donc pleurez-vous ainsi ?
Hélas ! je ne puis le cacher ;
C'est Jean Renaud qui est décédé. »

« Ma mère ! dites au fossoyeux
Qu'il fasse la fosse pour deux,
Et que l'espace y soit si grand,
Qu'on y renferme aussi l'enfant ! »

Ceci ne le cède en rien aux plus touchantes ballades allemandes, il n'y manque qu'une certaine exécution de détail qui manquait aussi à la légende primitive de Lénore et à celle du roi des Aulnes, avant Goëthe et Burger[1]. Mais quel parti encore un poète eût tiré de la complainte de Saint-Nicolas, que nous allons citer en partie.

Il était trois petits enfants
Qui s'en allaient glaner aux champs,

S'en vont au soir chez un boucher.
« Boucher, voudrais-tu nous loger ?

Entrez, entrez, petits enfants,
Il y a de la place assurément. »

Ils n'étaient pas sitôt entrés,
Que le boucher les a tués,
Les a coupés en petits morceaux,
Mis au saloir comme pourceaux.

Saint Nicolas au bout d'sept ans,
Saint Nicolas vint dans ce champ.
Il s'en alla chez le boucher :
« Boucher, voudrais-tu me loger ? »

« Entrez, entrez, saint Nicolas
Il y a d'la place, il n'en manque pas. »
Il n'était pas sitôt entré,
Qu'il a demandé à souper.

« Voulez-vous un morceau d'jambon ?
Je n'en veux pas, il n'est pas bon.
Voulez-vous un morceau de veau ?
Je n'en veux pas, il n'est pas beau !

Du p'tit salé je veux avoir,
Qu'il y a sept ans qu'est dans l'saloir ! »
Quand le boucher entendit cela,
Hors de sa porte il s'enfuya.

« Boucher, boucher, ne t'enfuis pas,
Repens-toi, Dieu te pardonn'ra. »
Saint Nicolas posa trois doigts
Dessus le bord de ce saloir :

Le premier dit : « J'ai bien dormi ! »
Le second dit : « Et moi aussi ! »
Et le troisième répondit :
« Je croyais être en paradis ! »

N'est-ce pas là une ballade d'Uhland[1], moins les beaux vers ? Mais il ne faut pas croire que l'exécution manque toujours à ces naïves inspirations populaires.

La chanson que nous avons citée plus haut[2] : *Le roi Loys est sur son pont* a été composée sur[3] un des plus beaux airs qui existent ; c'est comme un chant d'église croisé par un chant de guerre ; on n'a pas conservé la seconde partie de la ballade, dont pourtant nous connaissons vaguement le sujet. Le beau Lautrec, l'amant de cette noble fille, revient de la Palestine au moment où on la portait en terre. Il rencontre l'escorte sur le chemin de Saint-Denis. Sa colère met en fuite prêtres et archers, et le cercueil reste en son pouvoir. « Donnez-moi, dit-il à sa suite, donnez-moi mon couteau d'or fin, que je découse ce drap de lin ! » Aussitôt délivrée de son linceul, la belle revient à la vie. Son amant l'enlève et l'emmène dans son château au fond des forêts. Vous croyez *qu'ils vécurent heureux* et que tout se termina là ; mais une fois plongé dans les douceurs de la vie conjugale, le beau Lautrec n'est plus qu'un mari vulgaire, il passe tout son temps à pêcher au bord de son lac, si bien qu'un jour sa fière épouse vient doucement derrière lui et le pousse résolument dans l'eau noire, en lui criant :

Va-t'en, vilain pêche-poissons,
Quand ils seront bons
Nous en mangerons.

Propos mystérieux, digne d'Arcabonne ou de Mélusine[1]. — En expirant, le pauvre châtelain a la force de détacher ses clefs de sa ceinture et de les jeter à la fille du roi, en lui disant qu'elle est désormais maîtresse et souveraine, et qu'il se trouve heureux de mourir par sa volonté !… Il y a dans cette conclusion bizarre quelque chose qui frappe involontairement l'esprit, et qui laisse douter si le poète a voulu finir par un trait de satire, ou si cette belle morte que Lautrec a tirée du linceul n'était pas une sorte de femme vampire, comme les légendes nous en présentent souvent.

Du reste, les variantes et les interpolations sont fréquentes dans ces chansons ; chaque province possédait une version différente. On a recueilli comme une légende du Bourbonnais, *La jeune fille de la Garde*, qui commence ainsi :

Au château de la Garde
Il y a trois belles filles,
Il y en a une plus belle que le jour,
Hâte-toi, capitaine,
Le duc va l'épouser.

C'est celle que nous avons citée[2], qui commence ainsi :

Dessous[3] *le rosier blanc*
La belle se promène.

Voilà le début, simple et charmant ; où cela se passe-t-il ? Peu importe ! Ce serait si l'on voulait la fille d'un sultan rêvant sous les bosquets de

Schiraz[1]. Trois cavaliers passent au clair de lune : — Montez, dit le plus jeune, sur mon beau cheval gris. N'est-ce pas là la course de Léonore, et n'y a-t-il pas une attraction fatale dans ces cavaliers inconnus !

Ils arrivent à la ville, s'arrêtent à une hôtellerie éclairée et bruyante. La pauvre fille tremble de tout son corps :

Aussitôt arrivée,
L'hôtesse la regarde.
« Êtes-vous ici par force
Ou pour votre plaisir ?
Au jardin de mon père
Trois cavaliers m'ont pris. »

Sur ce propos le souper se prépare : « Soupez, la belle, et soyez heureuse ;

Avec trois capitaines,
Vous passerez la nuit. »
Mais[2] *le souper fini,*
La belle tomba morte.
Elle tomba morte
Pour ne plus revenir !

« Hélas ! ma mie est morte ! s'écria le plus jeune cavalier, qu'en allons-nous faire !... » Et ils conviennent de la reporter au château de son père, sous le rosier blanc.

Et au bout de trois jours
La belle ressuscite :

« Ouvrez, ouvrez, mon père,
Ouvrez sans plus tarder !
Trois jours j'ai fait la morte
Pour mon honneur garder. »

La vertu des filles du peuple attaquée par des seigneurs félons a fourni encore de nombreux sujets de romances. Il y a, par exemple, la fille d'un pâtissier, que son père envoie porter des gâteaux chez un galant châtelain. Celui-ci la retient jusqu'à la nuit close, et ne veut plus la laisser partir. Pressée de son déshonneur, elle feint de céder, et demande au comte son poignard pour couper une agrafe de son corset. Elle se perce le cœur, et les pâtissiers instituent une fête pour cette martyre boutiquière.

Il y a des chansons *de causes célèbres* qui offrent un intérêt moins romanesque, mais souvent plein de terreur et d'énergie. Imaginez un homme qui revient de la chasse et qui répond à un autre qui l'interroge :

J'ai tant tué de petits lapins blancs
Que mes souliers sont pleins de sang,
« T'en as menti, faux traître !
Je te ferai connaître.
Je vois, je vois à tes pâles couleurs
Que tu viens de tuer ma sœur ! »

Quelle poésie sombre en ces lignes qui sont à peine des vers ! Dans une autre, un déserteur rencontre la maréchaussée, cette terrible Némésis[1] au chapeau bordé d'argent.

On lui a demandé
Où est votre congé ?
« Le congé que j'ai pris,
Il est sous mes souliers. »

Il y a toujours une amante éplorée mêlée à ces tristes récits.

La belle s'en va trouver son capitaine.
Son colonel et aussi son sergent…

Le refrain est une mauvaise phrase latine[1], sur un ton de plain-chant, qui prédit suffisamment le sort du malheureux soldat.

Quoi[2] de plus charmant que la chanson de Biron[3], si regretté dans ces contrées :

Quand Biron voulut danser,
Quand Biron voulut danser,
Ses souliers fit apporter
Ses souliers fit apporter ;
Sa chemise
De Venise,
Son pourpoint
Fait au point,
Son chapeau tout rond ;
Vous danserez, Biron !

Nous avons cité deux vers[4] de la suivante :

La belle était assise
Près du ruisseau coulant,
Et dans l'eau qui frétille,

Baignait ses beaux pieds blancs :
Allons, ma mie, légèrement !
Légèrement !

C'est une jeune fille des champs qu'un seigneur surprend au bain comme Percival surprit Griselidis[1]. Un enfant sera le résultat de leur rencontre. Le seigneur dit :

« *En ferons-nous un prêtre,*
Ou bien un président ?

— Non, répond la belle, ce ne sera qu'un paysan :

On lui mettra la hotte
Et trois oignons dedans...
Il s'en ira criant :
Qui veut mes oignons blancs ?...
Allons, ma mie, légèrement, etc. »

Voici un conte de veillée que je me souviens d'avoir entendu réciter par les vanniers :

La Reine des Poissons[2]

Il y avait dans la province du Valois, au milieu des bois de Villers-Cotterets, un petit garçon et une petite fille qui se rencontraient de temps en temps sur les bords des petites rivières du pays, l'un obligé par un bûcheron nommé Tord-Chêne, qui était son oncle, à aller ramasser du bois mort, l'autre envoyée par ses parents pour saisir de petites anguilles que la baisse des eaux permet d'entrevoir dans la vase en certaines saisons. Elle devait encore, faute de mieux, atteindre entre les pierres les écrevisses, très nombreuses dans quelques endroits.

Mais la pauvre petite fille, toujours courbée et les pieds dans l'eau, était si compatissante pour les souffrances des animaux, que, le plus souvent, voyant les contorsions des poissons qu'elle tirait de la rivière, elle les y remettait et ne rapportait guère que les écrevisses, qui souvent lui pinçaient les doigts jusqu'au sang, et pour lesquelles elle devenait alors moins indulgente.

Le petit garçon, de son côté, faisant des fagots de bois mort et des bottes de bruyère, se voyait exposé souvent aux reproches de Tord-Chêne, soit parce qu'il n'en avait pas assez rapporté, soit parce qu'il s'était trop occupé à causer avec la petite pêcheuse.

Il y avait un certain jour dans la semaine où ces deux enfants ne se rencontraient jamais... Quel était ce jour ? Le même sans doute où la fée Mélusine se changeait en poisson, et où les princesses de l'Edda se transformaient en cygnes[1].

Le lendemain d'un de ces jours-là, le petit bûcheron dit à la pêcheuse : « Te souviens-tu qu'hier je t'ai vue passer là-bas dans les eaux de Challepont avec tous les poissons qui te faisaient cortège... jusqu'aux carpes et aux brochets ; et tu étais toi-même un beau poisson rouge avec les côtés tout reluisants d'écailles en or.

— Je m'en souviens bien, dit la petite fille, puisque je t'ai vu, toi qui étais sur le bord de l'eau, et que tu ressemblais à un beau *chêne-vert*, dont les branches d'en haut étaient d'or..., et que tous les arbres du bois se courbaient jusqu'à terre en te saluant.

— C'est vrai, dit le petit garçon, j'ai rêvé cela.

— Et moi aussi j'ai rêvé ce que tu m'as dit : mais comment nous sommes-nous rencontrés deux dans le rêve[1] ?...

En ce moment, l'entretien fut interrompu par l'apparition de Tord-Chêne, qui frappa le petit avec un gros gourdin, en lui reprochant de n'avoir pas seulement lié encore un fagot.

— Et puis, ajouta-t-il, est-ce que je ne t'ai pas recommandé de tordre les branches qui cèdent facilement, et de les ajouter à tes fagots ?

— C'est que, dit le petit, le garde me mettrait en prison, s'il trouvait dans mes fagots du bois vivant... Et puis, quand j'ai voulu le faire, comme vous me l'aviez dit, j'entendais l'arbre qui se plaignait.

— C'est comme moi, dit la petite fille, quand j'emporte des poissons dans mon panier, je les entends qui chantent si tristement, que je les rejette dans l'eau... Alors on me bat chez nous !

— Tais-toi, petite masque ! dit Tord-Chêne, qui paraissait animé par la boisson, tu déranges mon neveu de son travail. Je te connais bien, avec tes dents pointues couleur de perle... Tu es la reine des poissons... Mais je saurai bien te prendre à un certain jour de la semaine, et tu périras dans l'osier... dans l'osier !

Les menaces que Tord-Chêne avait faites dans

son ivresse ne tardèrent pas à s'accomplir. La petite fille se trouva prise sous la forme de poisson rouge, que le destin l'obligeait à prendre à de certains jours. Heureusement, lorsque Tord-Chêne voulut, en se faisant aider de son neveu, tirer de l'eau la nasse d'osier, ce dernier reconnut le beau poisson rouge à écailles d'or qu'il avait vu en rêve, comme étant la transformation accidentelle de la petite pêcheuse.

Il osa la défendre contre Tord-Chêne et le frappa même de sa galoche. Ce dernier, furieux, le prit par les cheveux, cherchant à le renverser ; mais il s'étonna de trouver une grande résistance : c'est que l'enfant tenait des pieds à la terre avec tant de force que son oncle ne pouvait venir à bout de le renverser ou de l'emporter, et le faisait en vain virer dans tous les sens.

Au moment où la résistance de l'enfant allait se trouver vaincue, les arbres de la forêt frémirent d'un bruit sourd, les branches agitées laissèrent siffler les vents, et la tempête fit reculer Tord-Chêne, qui se retira dans sa cabane de bûcheron.

Il en sortit bientôt, menaçant, terrible et transfiguré comme un fils d'Odin ; dans sa main brillait cette hache scandinave qui menace les arbres, pareille au marteau de Thor brisant les rochers[1].

Le jeune roi des forêts, victime de Tord-Chêne, — son oncle, usurpateur, — savait déjà quel était son rang, qu'on voulait lui cacher. Les arbres le protégeaient, mais seulement par leur masse et leur résistance passive....

En vain les broussailles et les surgeons s'entrelaçaient de tous côtés pour arrêter les pas de Tord-

Chêne, celui-ci a appelé ses bûcherons et se trace un chemin à travers ces obstacles. Déjà plusieurs arbres, autrefois sacrés du temps des vieux druides, sont tombés sous les haches et les cognées.

Heureusement, la reine des poissons n'avait pas perdu de temps. Elle était allée se jeter aux pieds de la *Marne*, de l'*Oise* et de l'*Aisne*[1], — les trois grandes rivières voisines, leur représentant que si l'on n'arrêtait pas les projets de Tord-Chêne et de ses compagnons, les forêts trop éclaircies n'arrêteraient plus les vapeurs qui produisent les pluies et qui fournissent l'eau aux ruisseaux, aux rivières et aux étangs ; que les sources elles-mêmes seraient taries et ne feraient plus jaillir l'eau nécessaire à alimenter les rivières ; sans compter que tous les poissons se verraient détruits en peu de temps, ainsi que les bêtes sauvages et les oiseaux.

Les trois grandes rivières prirent là-dessus de tels arrangements que le sol où Tord-Chêne, avec ses terribles bûcherons, travaillait à la destruction des arbres, — sans toutefois avoir pu atteindre encore le jeune prince des forêts, — fut entièrement noyé par une immense inondation, qui ne se retira qu'après la destruction entière des agresseurs.

Ce fut alors que le roi des forêts et la reine des poissons purent de nouveau reprendre leurs innocents entretiens.

Ce n'étaient plus un petit bûcheron et une petite pêcheuse, — mais un Sylphe et une Ondine, lesquels, plus tard, furent unis légitimement[2].

*

Nous nous arrêtons dans ces citations si incomplètes, si difficiles à faire comprendre sans la musique et sans la poésie des lieux et des hasards, qui font que tel ou tel de ces chants populaires se grave ineffaçablement dans l'esprit. Ici ce sont des compagnons qui passent avec leurs longs bâtons ornés de rubans ; là des mariniers qui descendent un fleuve ; des buveurs d'autrefois (ceux d'aujourd'hui ne chantent plus guère), des lavandières, des faneuses, qui jettent au vent quelques lambeaux des chants de leurs aïeules. Malheureusement on les entend répéter plus souvent aujourd'hui les romances à la mode, platement spirituelles, ou même franchement incolores, variées sur trois à quatre thèmes éternels. Il serait à désirer que de bons poètes modernes missent à profit l'inspiration naïve de nos pères, et nous rendissent, comme l'ont fait les poètes d'autres pays, une foule de petits chefs-d'œuvre qui se perdent de jour en jour avec la mémoire et la vie des bonnes gens du temps passé[1].

ANNEXES

À ALEXANDRE DUMAS

Je vous dédie ce livre, mon cher maître, comme j'ai dédié *Lorely* à Jules Janin[1]. J'avais à le remercier au même titre que vous. Il y a quelques années, on m'avait cru mort et il avait écrit ma biographie. Il y a quelques jours, on m'a cru fou, et vous avez consacré quelques-unes de vos lignes des plus charmantes à l'épitaphe de mon esprit. Voilà bien de la gloire qui m'est échue en avance-

* Cette lettre-préface, remplaçant au dernier moment l'introduction annoncée des *Filles du feu*, est à la fois une réponse à l'article indélicat de Dumas dans *Le Mousquetaire*, un éloge de la folie littéraire, une justification des *Chimères*, et même, au-delà des *Filles du feu*, une annonce de l'œuvre à venir, *Aurélia*. Ce texte de circonstance est évidemment composite : outre la longue citation de l'article de Dumas, Nerval y insère en effet *Le Roman tragique* jadis publié dans *L'Artiste* du 10 mars 1844, et qui était présenté comme une suite du *Roman comique* de Scarron. Repris dans cette lettre-préface, *Le Roman tragique* y devient une parabole tenant lieu d'introduction des *Filles du feu*, et de justification du titre.

1. Quelques jours après la première grande crise de folie de Nerval (février 1841), Jules Janin, dans le *Journal des Débats* du 1er mars 1841, avait consacré son feuilleton dramatique à la folie de son « ami ».

ment d'hoirie. Comment oser, de mon vivant, porter au front ces brillantes couronnes ? Je dois afficher un air modeste et prier le public de rabattre beaucoup de tant d'éloges accordés à mes cendres, ou au vague contenu de cette bouteille que je suis allé chercher dans la lune à l'imitation d'Astolfe[1], et que j'ai fait rentrer, j'espère, au siège habituel de la pensée.

Or, maintenant que je ne suis plus sur l'hippogriffe[2] et qu'aux yeux des mortels j'ai recouvré ce qu'on appelle vulgairement la raison, — raisonnons.

Voici un fragment de ce que vous écriviez sur moi le 10 décembre dernier :

« C'est un esprit charmant et distingué, comme vous avez pu en juger, — chez lequel, de temps en

1. Astolfe, personnage du *Roland furieux* de l'Arioste, invité par saint Jean à récupérer dans la lune la raison que Roland a perdue par châtiment divin. Cette raison perdue est enfermée dans une fiole. On notera que Nerval s'identifie à la fois à celui qui a perdu la raison (Roland) et à celui qui la recouvre pour lui (Astolfe). Voir la lettre à Maurice Sand du 5 novembre 1853 : « Pour le présent je demeure au *château Penthièvre à Passy*, simple *maison de santé*, où je ne fais que passer, comme Astolfe dans la lune. Bientôt je ferai savoir que j'y ai retrouvé ma raison dans une bouteille d'abondance… » (*NPl* III, p. 821).

2. L'hippogriffe, monture d'Astolfe, est un cheval ailé, issu du croisement d'une jument et d'un griffon. Être sur l'hippogriffe, c'est donc chevaucher une chimère (c'est d'ailleurs l'une des montures envisagées par le narrateur d'*Histoire du roi de Bohême et de ses sept châteaux* de Nodier paru en 1830). Dans le *Roland furieux*, si c'est sur l'hippogriffe qu'Astolfe parvient aux montagnes de la lune (le paradis terrestre), c'est sur le char d'Élie qu'il fait avec Jean le voyage de la lune.

temps, un certain phénomène se produit, qui, par bonheur, nous l'espérons, n'est sérieusement inquiétant ni pour lui, ni pour ses amis ; — de temps en temps, lorsqu'un travail quelconque l'a fort préoccupé, l'imagination, cette folle du logis, en chasse momentanément la raison, qui n'en est que la maîtresse ; alors la première reste seule, toute puissante, dans ce cerveau nourri de rêves et d'hallucinations, ni plus ni moins qu'un fumeur d'opium du Caire, ou qu'un mangeur de hatchis d'Alger, et alors, la vagabonde qu'elle est, le jette dans les théories impossibles, dans les livres infaisables[1]. Tantôt il est le roi d'Orient Salomon, il a retrouvé le sceau qui évoque les esprits, il attend la reine de Saba ; et alors, croyez-le bien, il n'est conte de fée, ou des *Mille et une Nuits*, qui vaille ce qu'il raconte à ses amis, qui ne savent s'ils doivent le plaindre ou l'envier, de l'agilité et de la puissance de ces esprits, de la beauté et de la richesse de cette reine ; tantôt il est sultan de Crimée, comte d'Abyssinie, duc d'Égypte, baron de Smyrne[2]. Un autre jour il se croit fou, et il raconte comment il l'est devenu, et avec un si joyeux entrain, en passant par des péripéties si amusantes, que chacun désire

1. Nerval a omis ici ces lignes de Dumas : « […] infaisables ; — alors notre pauvre Gérard, pour les hommes de science, est malade et a besoin de traitement, tandis que, pour nous, il est tout simplement plus conteur, plus rêveur, plus spirituel, plus gai ou plus triste que jamais. »

2. Nerval a omis la fin de la phrase de Dumas : « […] baron de Smyrne, et il m'écrit, à moi, qu'il croit son suzerain, pour me demander la permission de déclarer la guerre à l'empereur Nicolas ».

le devenir pour suivre ce guide entraînant dans le pays des chimères et des hallucinations, plein d'oasis plus fraîches et plus ombreuses que celles qui s'élèvent sur la route brûlée d'Alexandrie à Ammon ; tantôt, enfin, c'est la mélancolie qui devient sa muse, et alors retenez vos larmes si vous pouvez, car jamais Werther, jamais René, jamais Antony, n'ont eu plaintes plus poignantes, sanglots plus douloureux, paroles plus tendres, cris plus poétiques[1] !… »

Je vais essayer de vous expliquer, mon cher Dumas, le phénomène dont vous avez parlé plus haut. Il est, vous le savez, certains conteurs qui ne peuvent inventer sans s'identifier aux personnages de leur imagination. Vous savez avec quelle conviction notre vieil ami Nodier racontait comment il avait eu le malheur d'être guillotiné à l'époque de la Révolution ; on en devenait tellement persuadé que l'on se demandait comment il était parvenu à se faire recoller la tête…

Hé bien, comprenez-vous que l'entraînement d'un

1. Cette longue citation n'est pas tout à fait littérale. Outre les deux omissions déjà signalées (notes 1 et 2, p. 89), Nerval a apporté quelques corrections à l'article de Dumas : « il n'est conte de fée, ou des *Mille et Une Nuits* » corrige « il n'est conte de fée, pas même *La Jeunesse de Pierrot* [conte de Dumas, signé du pseudonyme « Aramis », dont *Le Mousquetaire* commençait la publication dans son numéro du 10 décembre] » ; « sultan de Crimée » [identité rêvée de l'Illustre Brisacier] corrige « sultan Ghera-Gheraï [nom propre des sultans de Crimée] », et « paroles plus tendres » corrige « paroles plus sombres ». Nerval nervalise ainsi discrètement l'épitaphe dumasienne de son esprit.

récit puisse produire un effet semblable ; que l'on arrive pour ainsi dire à s'incarner dans le héros de son imagination, si bien que sa vie devienne la vôtre et qu'on brûle des flammes factices de ses ambitions et de ses amours ! C'est pourtant ce qui m'est arrivé en entreprenant l'histoire d'un personnage qui a figuré, je crois bien, vers l'époque de Louis XV, sous le pseudonyme de Brisacier[1]. Où ai-je lu la biographie fatale de cet aventurier ? J'ai retrouvé celle de l'abbé de Bucquoy[2] ; mais je me sens bien incapable de renouer la moindre preuve historique à l'existence de cet illustre inconnu ! Ce qui n'eût été qu'un jeu pour vous, maître, — qui avez su si bien vous jouer avec nos chroniques et nos mémoires, que la postérité ne saura plus démêler le vrai du faux, et chargera de vos inventions tous les personnages historiques que vous avez appelés à figurer dans vos romans, — était devenu pour moi une obsession, un vertige. Inventer au fond c'est se ressouvenir[3], a dit

1. Dans *Le Roman tragique*, la lettre est datée fictivement d'« Avril 1692 », soit sous Louis XIV, époque à laquelle vécut le véritable Brisacier, fils naturel du roi de Pologne Jean Sobieski, ou réputé tel, bien que « l'illustre Brisacier » nervalien n'ait pas grand-chose à voir avec son modèle historique, évoqué dans les *Mémoires* de l'abbé de Choisy (1727). En reprenant *Le Roman tragique*, Nerval, au nom de la transmigration des âmes, tire son personnage, qui est aussi son double imaginaire, vers le XVIIIe siècle.

2. Voir « Angélique » dans *Les Filles du feu* et « Histoire de l'abbé de Bucquoy » dans *Les Illuminés*. « Angélique » et « Histoire de l'abbé de Bucquoy » formaient à l'origine un seul livre, *Les Faux Saulniers*.

3. Voir Hugo : « "*Imaginer*, dit La Harpe avec son assurance naïve, ce n'est au fond que *se ressouvenir*" » (Préface de *Crom-*

un moraliste ; ne pouvant trouver les preuves de l'existence matérielle de mon héros, j'ai cru tout à coup à la transmigration des âmes non moins fermement que Pythagore ou Pierre Leroux[1]. Le dix-huitième siècle même, où je m'imaginais avoir vécu, était plein de ces illusions. Voisenon, Moncriff et Crébillon fils en ont écrit mille aventures[2]. Rappelez-vous ce courtisan qui se souvenait d'avoir été sopha ; sur quoi Schahabaham s'écrie avec enthousiasme : quoi ! vous avez été sopha ! mais c'est fort galant... Et, dites-moi, étiez-vous brodé[3] ?

Moi, je m'étais brodé sur toutes les coutures. — Du moment que j'avais cru saisir la série de toutes

---

well) et Nerval lui-même dans *Les Faux Saulniers* (*NPl* II, p. 48) : « Personne n'a jamais inventé rien ; — on a retrouvé. »

1. Le saint-simonien Pierre Leroux (1797-1871), ami de George Sand, fut l'un des principaux apôtres du socialisme utopique et de la religion humanitaire. Dans une lettre de mai 1844 au directeur de la *Revue et gazette des théâtres* (*NPl* I, p. 1413) où il invoquait déjà le pythagorisme de Leroux, Nerval faisait le lien entre théâtre, métempsycose et résurrection de l'Antiquité.

2. Claude-Henri de Fusée, abbé de Voisenon (1708-1775), auteur de contes libertins, dont « Le Sultan Misapouf », publié dans *Le Mercure de France au dix-neuvième siècle* en 1830, à l'époque où Nerval y collaborait régulièrement ; François-Augustin Paradis de Moncrif (1687-1770), auteur des *Âmes rivales* ; Claude-Prosper Jolyot de Crébillon, dit Crébillon fils (1707-1777), auteur du *Sopha* (1740). Toutes ces œuvres évoquent, sur un mode plaisant, la transmigration des âmes.

3. Citation approximative du *Sopha*, conte imité des *Mille et Une Nuits* dans lequel un courtisan, qui croit à la métempsycose, raconte au sultan Schah-Baham, passionné de broderie, comment Bra[h]ma l'a transformé en sopha « pour punir [s]on Âme de ses dérèglements ». Citation exacte : « Vous avez donc été Sopha, mon enfant ? Cela fait une terrible aventure ! Hé, dites-moi, étiez-vous brodé ? » (Première partie, chap. I).

mes existences antérieures, il ne m'en coûtait pas plus d'avoir été prince, roi, mage, génie et même Dieu, la chaîne était brisée et marquait les heures pour des minutes. Ce serait le Songe de Scipion, la Vision du Tasse[1] ou *La Divine Comédie* du Dante, si j'étais parvenu à concentrer mes souvenirs en un chef-d'œuvre. Renonçant désormais à la renommée d'inspiré, d'illuminé ou de prophète, je n'ai à vous offrir que ce que vous appelez si justement des théories impossibles, un *livre infaisable*, dont voici le premier chapitre, qui semble faire suite au *Roman comique* de Scarron… jugez-en[2] :

Me voici encore dans ma prison, madame ; toujours imprudent, toujours coupable à ce qu'il semble, et toujours confiant, hélas ! dans cette belle *étoile* de comédie, qui a bien voulu m'appeler un instant

1. *Le Songe de Scipion* : épisode fameux du *De republica* de Cicéron, où Scipion a la vision de l'au-delà. Cette vision procède selon Dupuis (voir p. 60, n. 2) de la même doctrine que le discours d'Anchise à Énée au chant VI de l'*Énéide*. « Virgile dit des âmes […] qu'elles sont formées de ce feu actif qui brille dans les cieux, et qu'elles y retournent après leur séparation d'avec le corps. On retrouve la même doctrine dans le songe de Scipion. » Cette doctrine est à la base de la « grande fiction de la métempsycose » (*Abrégé de l'origine de tous les cultes*, L. Tenré, 1821, p. 490-491). — *La Vision du Tasse* : plutôt que la seule vision de Godefroy de Bouillon au chant XIV de *La Jérusalem délivrée* du Tasse (Maria-Luisa Belleli), c'est toute *La Jérusalem délivrée* qui est donnée ici comme la vision du Tasse.

2. Le long morceau qui suit et qui est signé de « L'illustre Brisacier » est la reprise du *Roman tragique* publié dans *L'Artiste* du 10 mars 1844, *Roman tragique* donné comme une continuation du *Roman comique* de Scarron, avec ses personnages de poète raté (Ragotin) et de comédiens ambulants (L'Étoile, Le Destin, La Caverne, La Rancune).

son destin. L'Étoile et le Destin : quel couple aimable dans le roman du poète Scarron[1] ! mais qu'il est difficile de jouer convenablement ces deux rôles aujourd'hui. La lourde charrette qui nous cahotait jadis sur l'inégal pavé du Mans, a été remplacée par des carrosses, par des chaises de poste et autres inventions nouvelles. Où sont les aventures, désormais ? où est la charmante misère qui nous faisait vos égaux et vos camarades, mesdames les comédiennes, nous les pauvres poètes toujours et les poètes pauvres bien souvent ? Vous nous avez trahis, reniés ! et vous vous plaigniez de notre orgueil ! Vous avez commencé par suivre de riches seigneurs, chamarrés, galants et hardis, et vous nous avez abandonnés dans quelque misérable auberge pour payer la dépense de vos folles orgies. Ainsi, moi, le brillant comédien naguère, le prince ignoré, l'amant mystérieux, le déshérité, le banni de liesse, le beau ténébreux[2], adoré des mar-

1. Ce couple aimable se retrouvera dans « El Desdichado », originellement intitulé « Le Destin », où le héros éponyme a perdu sa « seule *étoile* ».

2. Cette déclinaison symbolique du je théâtral du *Roman tragique* peut apparaître comme l'envers ironique de la déclinaison symbolique du je lyrique d'« El Desdichado » : le « prince ignoré » renvoie au « prince d'Aquitaine », le « beaux ténébreux » au « ténébreux », le « déshérité » à « El Desdichado » (traduction donnée par Walter Scott dans *Ivanhoé*), et renvoie elle-même à une déclinaison plus ancienne, qu'on lit dans l'introduction de 1830 au *Choix des poésies de Ronsard*, celle des ridicules poètes évoqués par Du Bellay dans sa *Défense et illustration de la langue française* : « "Je ne souhaite pas moins que ces *dépourvus*, ces *humbles espérants*, ces *bannis de Liesse*, ces *esclaves*, ces *traverseurs*, soient renvoyés à la table ronde, et ces belles petites devises aux gentilshommes et damoiselles, d'où

quises comme des présidentes, moi, le favori bien indigne de madame Bouvillon, je n'ai pas été mieux traité que ce pauvre Ragotin, un poétereau de province, un robin !... Ma bonne mine, défigurée d'un vaste emplâtre, n'a servi même qu'à me perdre plus sûrement. L'hôte, séduit par les discours de La Rancune, a bien voulu se contenter de tenir en gage le propre fils du grand khan de Crimée[1] envoyé ici pour faire ses études, et avantageusement connu dans toute l'Europe chrétienne sous le pseudonyme de Brisacier. Encore si ce misérable, si cet intrigant suranné m'eût laissé quelques vieux louis, quelques carolus, ou même une pauvre montre entourée de faux brillants, j'eusse pu sans doute imposer le respect à mes accusateurs et éviter la triste péripétie d'une aussi sotte combinaison. Bien mieux, vous ne m'aviez laissé pour tout costume qu'une méchante souquenille puce, un justaucorps rayé de noir et de bleu, et des chausses d'une conservation équivoque. Si bien, qu'en soulevant ma valise après votre départ, l'aubergiste inquiet a soupçonné une partie de la triste vérité, et m'est venu dire tout net que j'étais *un prince de contrebande*[2]. À ces mots,

---

on les a empruntés" », déclinaison que Nerval commentait ainsi : « Allusion aux ridicules surnoms que prenaient les poètes du temps : *l'Humble espérant* (Jehan le Blond) ; *le Banni de Liesse* (François Habert) ; *l'Esclave fortuné* (Michel d'Amboise) ; *le Traverseur des voies périlleuses* (Jehan Bouchet). Il y avait encore *le Solitaire* (Jehan Gohorry) ; *l'Esperonnier de discipline* (Antoine de Saix), etc., etc. »

1. Par cette identité de fils du grand khan de Crimée, Brisacier est bien le double du Nerval de Dumas, « sultan de Crimée ».

2. Cette triste vérité que Brisacier n'est qu'un prince de

j'ai voulu sauter sur mon épée, mais La Rancune l'avait enlevée, prétextant qu'il fallait m'empêcher de m'en percer le cœur sous les yeux de l'ingrate qui m'avait trahi ! Cette dernière supposition était inutile, ô La Rancune ! on ne se perce pas le cœur avec une épée de comédie, on n'imite pas le cuisinier Vatel[1], on n'essaie pas de parodier les héros de roman, quand on est un héros de tragédie : et je prends tous nos camarades à témoin qu'un tel trépas est impossible à mettre en scène un peu noblement. Je sais bien qu'on peut piquer l'épée en terre et se jeter dessus les bras ouverts ; mais nous sommes ici dans une chambre parquetée, où le tapis manque, nonobstant la froide saison. La fenêtre est d'ailleurs assez ouverte et assez haute sur la rue pour qu'il soit loisible à tout désespoir tragique de terminer par là son cours. Mais... mais, je vous l'ai dit mille fois, je suis un comédien qui a de la religion.

Vous souvenez-vous de la façon dont je jouais Achille[2], quand par hasard passant dans une ville de troisième ou de quatrième ordre, il nous prenait la fantaisie d'étendre le culte négligé des anciens tragiques français[3] ? J'étais noble et puissant, n'est-ce pas, sous le casque doré aux crins de pourpre,

---

contrebande fait soupçonner aussi le prince d'Aquitaine d'« El Desdichado ».

1. Vatel, cuisinier du prince de Condé, s'était suicidé en 1671 à cause du retard de la marée. Ce suicide de Vatel sera évoqué encore dans *Pandora* et *Promenades et souvenirs*.

2. Achille dans *Iphigénie* de Racine.

3. Le texte du *Roman tragique* donnait : « [...] le culte encore douteux des nouveaux tragiques français ». Ce n'est plus vers

sous la cuirasse étincelante, et drapé d'un manteau d'azur ? Et quelle pitié c'était alors de voir un père aussi lâche qu'Agamemnon disputer au prêtre Calchas l'honneur de livrer plus vite au couteau la pauvre Iphigénie en larmes ! J'entrais comme la foudre au milieu de cette action forcée et cruelle ; je rendais l'espérance aux mères et le courage aux pauvres filles, sacrifiées toujours à un devoir, à un Dieu, à la vengeance d'un peuple, à l'honneur ou au profit d'une famille !... car on comprenait bien partout que c'était là l'histoire éternelle des mariages humains. Toujours le père livrera sa fille par ambition, et toujours la mère la vendra avec avidité ; mais l'amant ne sera pas toujours cet honnête Achille, si beau, si bien armé, si galant et si terrible, quoiqu'un peu rhéteur pour un homme d'épée ! Moi, je m'indignais parfois d'avoir à débiter de si longues tirades dans une cause aussi limpide et devant un auditoire aisément convaincu de mon droit. J'étais tenté de sabrer pour en finir toute la cour imbécile du roi des rois, avec son espalier de figurants endormis ! Le public en eût été charmé ; mais il aurait fini par trouver la pièce trop courte, et par réfléchir qu'il lui faut le temps de voir souffrir une princesse, un amant et une reine ; de les voir pleurer, s'emporter et répandre un torrent d'injures harmonieuses contre la vieille autorité du prêtre et du souverain. Tout cela vaut bien cinq actes et deux heures d'attente, et le public ne se contenterait pas à moins ; il lui faut sa revanche

---

le XVIIIe siècle que cette correction tire *Le Roman tragique*, mais vers le XIXe siècle romantique.

de cet éclat d'une famille unique, pompeusement assise sur le trône de la Grèce, et devant laquelle Achille lui-même ne peut s'emporter qu'en paroles ; il faut qu'il sache tout ce qu'il y a de misères sous cette pourpre, et pourtant d'irrésistible majesté ! Ces pleurs tombés des plus beaux yeux du monde sur le sein rayonnant d'Iphigénie, n'enivrent pas moins la foule que sa beauté, ses grâces et l'éclat de son costume royal ! Cette voix si douce, qui demande la vie en rappelant qu'elle n'a pas encore vécu ; le doux sourire de cet œil, qui fait trêve aux larmes pour caresser les faiblesses d'un père, première agacerie, hélas ! qui ne sera pas pour l'amant !... Oh ! comme chacun est attentif pour en recueillir quelque chose ! La tuer ? elle ! qui donc y songe ? Grands dieux ! personne peut-être ?... Au contraire ; chacun s'est dit déjà qu'il fallait qu'elle mourût pour tous, plutôt que de vivre pour un seul ; chacun a trouvé Achille trop beau, trop grand, trop superbe ! Iphigénie sera-t-elle emportée encore par ce vautour thessalien, comme l'autre, la fille de Léda[1], l'a été naguère par un prince berger de la voluptueuse côte d'Asie ? Là est la question pour tous les Grecs, et là est aussi la question pour le public qui nous juge dans ces rôles de héros ! Et moi, je me sentais haï des hommes autant qu'admiré des femmes quand je jouais un de ces rôles d'amant superbe et victorieux. C'est qu'à la place d'une froide princesse de coulisse, élevée à psalmodier tristement ces vers immortels, j'avais à

1. *La fille de Léda* : Hélène, enlevée par Pâris et emmenée à Troie.

défendre, à éblouir, à conserver une véritable fille de la Grèce, une perle de grâce, d'amour et de pureté, digne en effet d'être disputée par les hommes aux dieux jaloux ! Était-ce Iphigénie seulement ? Non, c'était Monime, c'était Junie, c'était Bérénice, c'étaient toutes les héroïnes inspirées par les beaux yeux d'azur de mademoiselle Champmeslé, ou par les grâces adorables des vierges nobles de Saint-Cyr[1] ! Pauvre Aurélie[2] ! notre compagne, notre sœur, n'auras-tu point regret toi-même à ces temps d'ivresse et d'orgueil ? Ne m'as-tu pas aimé un instant, froide Étoile ! à force de me voir souffrir, combattre, ou pleurer pour toi ! L'éclat nouveau dont le monde t'environne aujourd'hui prévaudra-t-il sur l'image rayonnante de nos triomphes communs ? On se disait chaque soir : Quelle est donc cette comédienne si au-dessus de tout ce que nous avons applaudi ? Ne nous trompons-nous pas ? Est-elle bien aussi jeune, aussi fraîche, aussi honnête qu'elle le paraît ? Sont-ce de vraies perles et de fines opales qui ruissellent parmi ses blonds cheveux

1. *Mademoiselle Champmeslé* : Marie Desmares, dite la Champmeslé (1642-1698), célèbre tragédienne qui fut la maîtresse de Racine et la créatrice de toutes ses héroïnes, d'Andromaque à Phèdre. — *Vierges nobles de Saint-Cyr* : créatrices des deux pièces bibliques de Racine, *Esther* et *Athalie*.

2. *Aurélie* : Nerval donne ici son identité à « cette belle *étoile* de comédie » qui annonce l'Aurélie du chapitre XIII de « Sylvie », et Aurélia. Un fragment manuscrit contemporain des *Filles du feu*, intitulé « Aurélie », et qui devait introduire la lettre de Brisacier, précisait le lien entre *Le Roman tragique* et « Sylvie » : « Quelques passages [de la lettre de Brisacier] retraçaient dans ma pensée le portrait idéal d'Aurélie, la comédienne, esquissé dans *Sylvie* » (*NPl* I, p. 1742).

cendrés, et ce voile de dentelle appartient-il bien légitimement à cette malheureuse enfant ? N'a-t-elle pas honte de ces satins brochés, de ces velours à gros plis, de ces peluches et de ces hermines ? Tout cela est d'un goût suranné qui accuse des fantaisies au-dessus de son âge. Ainsi parlaient les mères, en admirant toutefois un choix constant d'atours et d'ornements d'un autre siècle qui leur rappelaient de beaux souvenirs. Les jeunes femmes enviaient, critiquaient ou admiraient tristement. Mais moi, j'avais besoin de la voir à toute heure pour ne pas me sentir ébloui près d'elle, et pour pouvoir fixer mes yeux sur les siens autant que le voulaient nos rôles. C'est pourquoi celui d'Achille était mon triomphe ; mais que le choix des autres m'avait embarrassé souvent ! quel malheur de n'oser changer les situations à mon gré et sacrifier même les pensées du génie à mon respect et à mon amour ! Les Britannicus et les Bajazet, ces amants captifs et timides, n'étaient pas pour me convenir. La pourpre du jeune César me séduisait bien davantage ! mais quel malheur ensuite de ne rencontrer à dire que de froides perfidies ! Hé quoi ! ce fut là ce Néron, tant célébré de Rome ? ce beau lutteur, ce danseur, ce poète ardent, dont la seule envie était de plaire à tous ? Voilà donc ce que l'histoire en a fait, et ce que les poètes en ont rêvé d'après l'histoire ! Oh ! donnez-moi ses fureurs à rendre, mais son pouvoir, je craindrais de l'accepter. Néron ! je t'ai compris, hélas ! non pas d'après Racine, mais d'après mon cœur déchiré quand j'osais emprunter ton nom ! Oui, tu fus un dieu, toi qui voulais brûler Rome, et qui en avais le droit, peut-être, puisque Rome t'avait insulté !...

Un sifflet, un sifflet indigne, *sous ses yeux*, près d'elle, à cause d'elle ! Un sifflet qu'elle s'attribue — par ma faute (comprenez bien !) Et vous demanderez ce qu'on fait quand on tient la foudre !... Oh ! tenez, mes amis ! j'ai eu un moment l'idée d'être vrai, d'être grand, de me faire immortel enfin, sur votre théâtre de planches et de toiles, et dans votre comédie d'oripeaux ! Au lieu de répondre à l'insulte par une insulte, qui m'a valu le *châtiment* dont je souffre encore, au lieu de provoquer tout un public vulgaire à se ruer sur les planches et à m'assommer lâchement..., j'ai eu un moment l'idée, l'idée sublime, et digne de César lui-même, l'idée que cette fois nul n'aurait osé mettre au-dessous de celle du grand Racine, l'idée auguste enfin de brûler le théâtre[1] et le public, et vous tous ! et de l'emporter seule à travers les flammes, échevelée, à demi-nue, selon son rôle, ou du moins selon le récit classique de Burrhus[2]. Et soyez sûrs alors que rien n'aurait pu me la ravir, depuis cet instant jusqu'à l'échafaud ! et de là dans l'éternité !

Ô remords de mes nuits fiévreuses et de mes jours mouillés de larmes ! Quoi ! j'ai pu le faire et ne l'ai pas voulu ? Quoi ! vous m'insultez encore, vous qui devez la vie à ma pitié plus qu'à ma

1. Par ce rêve fou d'incendier le théâtre, Brisacier joue moins le Néron de *Britannicus* qu'il ne ressuscite dans sa folie l'empereur poète incendiaire de Rome. Voir le livre de Gabrielle Chamarat-Malandain, *Nerval et l'incendie du théâtre*, Corti, 1986.

2. *Sic*. C'est Néron, non Burrhus, qui raconte (acte II, scène II) l'enlèvement de Junie.

crainte ! Les brûler tous, je l'aurais fait ! jugez-en : Le théâtre de P*** n'a qu'une seule sortie ; la nôtre donnait bien sur une petite rue de derrière, mais le foyer où vous vous teniez tous est de l'autre côté de la scène. Moi, je n'avais qu'à détacher un quinquet pour incendier les toiles, et cela sans danger d'être surpris, car le surveillant ne pouvait me voir, et j'étais seul à écouter le fade dialogue de Britannicus et de Junie pour reparaître ensuite et faire tableau. Je luttai avec moi-même pendant tout cet intervalle ; en rentrant, je roulais dans mes doigts un gant que j'avais ramassé ; j'attendais à me venger plus noblement que César lui-même d'une injure que j'avais sentie avec tout le cœur d'un César… Eh bien ! ces lâches n'osaient recommencer ! mon œil les foudroyait sans crainte, et j'allais pardonner au public, sinon à Junie, quand elle a osé… Dieux immortels !… tenez, laissez-moi parler comme je veux !… Oui, depuis cette soirée, ma folie est de me croire un Romain, un empereur ; mon rôle s'est identifié à moi-même, et la tunique de Néron s'est collée à mes membres qu'elle brûle, comme celle du centaure dévorait Hercule expirant[1]. Ne jouons plus avec les choses saintes, même d'un peuple et d'un âge éteints depuis si longtemps, car il y a peut-être quelque flamme encore sous les cendres des dieux de Rome[2] !… Mes amis ! comprenez surtout qu'il ne s'agissait pas pour moi d'une froide traduction de paroles com-

1. Cette folie du comédien pour qui le rôle devient une seconde nature fait de Brisacier un Saint Genest du paganisme.

2. Voir les articles des 12 et 26 mai 1844 sur une représentation de l'*Antigone* de Sophocle (*NPl* I, p. 801 et 805).

passées ; mais d'une scène où tout vivait, où trois cœurs luttaient à chances égales, où comme au jeu du cirque, c'était peut-être du vrai sang qui allait couler[1] ! Et le public le savait bien, lui, ce public de petite ville, si bien au courant de toutes nos affaires de coulisse ; ces femmes dont plusieurs m'auraient aimé si j'avais voulu trahir mon seul amour ! ces hommes tous jaloux de moi à cause d'elle ; et l'autre, le Britannicus bien choisi, le pauvre soupirant confus, qui tremblait devant moi et devant elle, mais qui devait me vaincre à ce jeu terrible, où le dernier venu a tout l'avantage et toute la gloire… Ah ! le débutant d'amour savait son métier… mais il n'avait rien à craindre, car je suis trop juste pour faire un crime à quelqu'un d'aimer comme moi, et c'est en quoi je m'éloigne du monstre idéal rêvé par le poète Racine : je ferais brûler Rome sans hésiter, mais en sauvant Junie, je sauverais aussi mon frère Britannicus.

Oui, mon frère, oui, pauvre enfant comme moi de l'art et de la fantaisie, tu l'as conquise, tu l'as méritée en me la disputant seulement. Le ciel me garde d'abuser de mon âge, de ma force et de cette humeur altière que la santé m'a rendue, pour attaquer son choix ou son caprice à elle, la toute puissante, l'équitable, la divinité de mes rêves comme de ma vie !… Seulement j'avais craint longtemps que mon malheur ne te profitât en rien, et que les beaux galants de la ville ne nous enlevassent à tous ce qui n'est perdu que pour moi.

1. Il n'y a pas loin de ce rêve nervalien au théâtre de la cruauté d'Artaud.

La lettre que je viens de recevoir de La Caverne me rassure pleinement sur ce point. Elle me conseille de renoncer à « un art qui n'est pas fait pour moi et dont je n'ai nul besoin... » Hélas ! cette plaisanterie est amère, car jamais je n'eus davantage besoin, sinon de l'art, du moins de ses produits brillants. Voilà ce que vous n'avez pas compris. Vous croyez avoir assez fait en me recommandant aux autorités de Soissons comme un personnage illustre que sa famille ne pouvait abandonner, mais que la violence de son mal vous obligeait à laisser en route. Votre La Rancune s'est présenté à la maison de ville et chez mon hôte, avec des airs de grand d'Espagne de première classe forcé par un contre-temps de s'arrêter deux nuits dans un si triste endroit ; vous autres, forcés de partir précipitamment de P*** le lendemain de ma déconvenue, vous n'aviez, je le conçois, nulle raison de vous faire passer ici pour d'*infâmes histrions* : c'est bien assez de se laisser clouer ce masque au visage dans les endroits où l'on ne peut faire autrement. Mais, moi, que vais-je dire, et comment me dépêtrer de l'infernal réseau d'intrigues où les récits de La Rancune viennent de m'engager ? Le grand couplet du *Menteur* de Corneille lui a servi assurément à composer son histoire, car la conception d'un faquin tel que lui ne pouvait s'élever si haut. Imaginez... Mais que vais-je vous dire que vous ne sachiez de reste et que vous n'ayez comploté ensemble pour me perdre ? L'ingrate qui est cause de mes malheurs n'y aura-t-elle pas mélangé tous les fils de satin les plus inextricables que ses doigts d'Arachné[1] auront pu tendre autour d'une pauvre victime ?... Le beau chef-d'œuvre ! Hé bien ! je suis pris, je l'avoue ; je cède, je demande grâce. Vous pouvez me reprendre avec vous sans crainte, et, si les rapides chaises de poste qui vous emportèrent sur la route de Flandre[2], il y a près de trois mois, ont déjà fait place à l'humble charrette de nos premières équipées, daignez me recevoir au moins en qualité de monstre, de phénomène, de *calot*[3] propre à faire amasser la foule, et je réponds de m'acquitter de ces divers emplois de manière à contenter les amateurs les plus sévères des provinces... Répondez-moi maintenant au bureau de poste, car je crains la curiosité de mon hôte, j'enverrai prendre votre épître par un homme de la maison, qui m'est dévoué...

L'ILLUSTRE BRISACIER.

Que faire maintenant de ce héros abandonné de sa maîtresse et de ses compagnons ? N'est-ce en vérité qu'un comédien de hasard, justement puni de son irrévérence envers le public, de sa sotte jalousie, de ses folles prétentions ! Comment arrivera-t-il à prouver qu'il est le propre fils du khan de Crimée, ainsi que l'a proclamé l'astucieux récit de La Rancune ? Comment de cet abaissement

1. *Arachné* : fileuse virtuose, qui fut changée par Athéna en araignée.

2. Cette route de Flandre, passant par Senlis, sera empruntée aussi par le narrateur d'« Angélique » (5e et 6e lettres) et par celui de « Sylvie » (chap. III).

3. Figure à la manière de Callot, c'est-à-dire grotesque (J. Bony).

inouï s'élancera-t-il aux plus hautes destinées ?... Voilà des points qui ne vous embarrasseraient nullement sans doute, mais qui m'ont jeté dans le plus étrange désordre d'esprit. Une fois persuadé que j'écrivais ma propre histoire, je me suis mis à traduire tous mes rêves, toutes mes émotions, je me suis attendri à cet amour pour une *étoile* fugitive qui m'abandonnait seul dans la nuit de ma destinée, j'ai pleuré, j'ai frémi des vaines apparitions de mon sommeil. Puis un rayon divin a lui dans mon enfer ; entouré de monstres contre lesquels je luttais obscurément, j'ai saisi le fil d'Ariane, et dès lors toutes mes visions sont devenues célestes. Quelque jour j'écrirai l'histoire de cette « descente aux enfers[1] », et vous verrez qu'elle n'a pas été entièrement dépourvue de raisonnement si elle a toujours manqué de raison.

Et puisque vous avez eu l'imprudence de citer un des sonnets composés dans cet état de rêverie *supernaturaliste*, comme diraient les Allemands, il faut que vous les entendiez tous. — Vous les trouverez à la fin du volume. Ils ne sont guère plus obscurs que la métaphysique d'Hégel ou les *mémorables* de Swedemborg[2], et perdraient de leur charme à être expliqués, si la chose était possible, concédez-moi du moins le mérite de l'expression ; — la dernière folie qui me restera probablement, ce sera de me croire poète : c'est à la critique de m'en guérir.

1. L'histoire de cette descente aux enfers, ce sera *Aurélia*.
2. Double caution (ironique) pour l'obscurité des *Chimères* : la métaphysique (Hegel) et la mystique (Swedenborg).

AVANT-TEXTES DE « SYLVIE »

1. Lovenjoul, D 741, f° 102

Ces habits
honnêtes
servent à
un déguisem

Je viens revoir Sylvie
Elle est entretenue par Hc
Les fêtes se prolongent Je vais
chercher l'actrice —
Elle est reçue par le prév.
et la maîtresse du
pr
Je retrouve les blasons
pr me présenter
Je fais rebâtir un pavillon
j'étourdis le village
J'excite l'admir. et le
dépit de Sylvain
Maison fatale
m'échoit
Je revois Sylvie près du bal
elle est en deuil
moi xxxxxxxx

nous nous embrassons
en pleurant
La maison est détruite
mes xxxxxxx xx xxx

2. Lovenjoul D 741, f° 120

Pays. per[1].
oncle tableaux
=
Je reviens
Je suis un Mr
Lettres de notaire
oncles de Paris
—
Dem[2]. au couvent
Je reviens Je ren-
contre une gantj[3].
études
Je revois la même
Ce sont 2 sœurs
veux baiser
Le vieux com
serai-je pour l'épouser
pend. ce t. Sylvie
mxxx
—

tems des allées
oncle

Rappeler le R
tragique

J'ai l'act[4].
M. Sp. le g. jour[5]

1. Lire « Paysan perverti » ou « Paysanne pervertie ».
2. Lire « Demoiselle » ? ou « Demeure » ?
3. Lire « une gantière ».
4. Lire « l'actrice » ?
5. Si on peut lire « le grand jour », « M. Sp. » (« Mea Sponsa » ?) laisse perplexe.

Je vais refaire un
héritage. Rebâtir
le donjon
l'oncle maire réparation
m'écrit paysans
chansons du pays
Sylvain
je cache
jour où je revois
la belle
Sylvie me xxxx xxxx

3. Lovenjoul D 741, f° 51ter

L'air était doux et parfumé je résolus de
ne pas aller plus loin et d'attendre le matin
Ô nuit ! — J'en ai peu connu de plus belles :
je ne sais pourquoi, dans les rêveries vagues
qui m'étaient venues par momens, deux
figures aimées se combattaient dans mon
esprit ; — l'une semblait descendre des étoiles
et l'autre monter de la terre. La dernière disait :
Je suis simple et fraîche comme les fleurs des
champs ; l'autre je suis noble et pure comme
beautés immortelles conçues dans le sein de
ce qui m'avait porté à la tête
d'enivrement : — peut-être
où je m'étais reposé
me laisser prendre
l'âme dit s'y

DOSSIER

CHRONOLOGIE

(1808-1855)

1808. 22 mai. Naissance à Paris, 96 rue Saint-Martin, **de Gérard Labrunie**, fils du Docteur Étienne Labrunie et de Marie Antoinette Marguerite Laurent.
23 mai. Baptême à Saint-Merry. Peu après, mis en nourrice à Loisy dans le Valois.
Juin. Le Docteur Labrunie est nommé médecin dans la Grande Armée, où il servira en Allemagne et en Autriche.

1810. 29 novembre. Mort de Mme Labrunie, qui suivait son mari, à Gross-Glogau en Silésie, où elle est enterrée au cimetière catholique polonais. Gérard est élevé par son grand-oncle Antoine Boucher à Mortefontaine.

1814. Printemps. Retour du Docteur Labrunie, qui s'installe avec son fils rue Saint-Martin.

1822. Entre en 3e au collège Charlemagne où il restera jusqu'en 1827. Il y a pour condisciple Théophile Gautier, qui entre la même année en 6e.

1826. Premières publications poétiques : *Napoléon et la France guerrière*, *Élégies nationales*, *Monsieur Dentscourt, ou le Cuisinier d'un grand homme*, *Les Hauts Faits des jésuites*, *Napoléon et Talma*, *L'Académie*.

1827. Mai. *Élégies nationales et satires politiques*.
Août. Gérard, qui achève sa Philosophie, ne se présente pas au baccalauréat.
Novembre. Traduction de *Faust*.

1829. Avril. Berlioz, *Huit scènes de « Faust »*, d'après la traduction de Gérard.
10 août. Enfin bachelier.
Octobre. Commence à collaborer au *Mercure de France au dix-neuvième siècle*.

1830. Février. Donne à la Bibliothèque choisie un choix de *Poésies allemandes* avec une importante introduction.
25 février. Bataille d'*Hernani*, à laquelle Gérard, qui fréquente Hugo depuis plusieurs mois, participe avec les Jeunes France.
27-29 juillet. Les Trois Glorieuses. Gérard, qui y a participé, les célèbre dans son poème « Le Peuple » (14 août).
Octobre. Donne à la Bibliothèque choisie un *Choix des poésies de Ronsard, Dubellay, Baïf, Belleau, Dubartas, Chassignet, Desportes, Régnier* avec une importante introduction.

1831. Automne. À la suite d'un tapage nocturne, Gérard passe une nuit à la prison Sainte-Pélagie.
Décembre. Publication dans *L'Almanach des Muses* de sept odelettes.
Fréquente le Petit Cénacle réuni dans l'atelier du sculpteur Jehan Duseigneur rue de Vaugirard, et le salon de Nodier à l'Arsenal.

1832. Février. Séjour à la prison Sainte-Pélagie. Gérard aurait été arrêté par erreur à l'occasion du complot légitimiste de la rue des Prouvaires.
Mars-novembre. Épidémie de choléra. Gérard assiste son père.
14 novembre. Inscription à l'École de médecine.

1834. Janvier. À la mort de son grand-père Laurent, Gérard hérite de près de 30 000 francs.
Septembre-novembre. Voyage dans le midi de la France (Avignon, Aix), à Nice et en Italie (Florence, Rome et surtout Naples). Retour par Marseille et Agen, berceau des Labrunie.
Décembre. Publication dans les *Annales romantiques* de quatre odelettes.

1835. La bohème du Doyenné (avec Théophile Gautier, Arsène Houssaye, Camille Rogier…) prend le relais du Petit Cénacle.
Mai. Grâce à l'argent de son héritage, Gérard crée avec Anatole Bouchardy une revue consacrée au théâtre, *Le Monde dramatique*, qui fera faillite moins d'un an plus tard.
Décembre. Deuxième édition du *Faust*.

1836. Juillet-septembre. Voyage en Belgique avec Gautier.
15 décembre. Première attestation du pseudonyme « Gérard de Nerval » dans *Le Figaro* (qui vient de renaître) : annonce (sans suite) de la publication du « Canard de Vaucanson ». Le pseudonyme « Nerval » a pour origine le clos de Nerval à Mortefontaine, hérité de ses grands-parents en 1834.

1837. 17 juillet. Premier article (critique dramatique) dans *La Presse*.
31 octobre. Création de *Piquillo*, livret de Dumas et Nerval (signé de Dumas seul), musique de Monpou. Le rôle principal est tenu par Jenny Colon.

1838. 11 avril. Mariage de Jenny Colon avec le flûtiste Leplus.
Août-septembre. Voyage en Allemagne.
30-31 juillet. Premier article dans *Le Messager*, dont le nouveau propriétaire est Alexandre Colonna, comte Walewski, fils naturel de Napoléon Ier.

1839. 10 avril. Création de *L'Alchimiste*, écrit en collaboration avec Dumas mais signé par Dumas seul.
16 avril. Création de *Léo Burckart*, écrit en collaboration avec Dumas mais signé par Nerval seul.
25-28 juin. « Le Fort de Bitche. Souvenir de la Révolution française » [« Émilie »] dans *Le Messager*.
15 août. « Les Deux Rendez-vous. Intermède » [« Corilla »] dans *La Presse*.
Novembre-décembre. Séjour à Vienne où il rencontre la pianiste Marie Pleyel.

1840. Mars. Retour à Paris.
Juillet. Troisième édition de *Faust, suivi du second Faust*.

Octobre. Départ pour la Belgique.
19 décembre. Quatre jours après la cérémonie du retour des cendres aux Invalides, représentation de *Piquillo* à Bruxelles avec Jenny Colon, en présence de Louise d'Orléans, reine des Belges. Au cours de ce séjour en Belgique, Nerval retrouve aussi Marie Pleyel.

1841. Février. Première crise attestée, et internement à la clinique de Mme Sainte-Colombe rue de Picpus.
1er mars. Jules Janin, dans son feuilleton du *Journal des Débats*, révèle la folie de son « ami ».
(?) Envoie, probablement à Gautier, six sonnets adressés à des dames (sonnets qui préfigurent les *Chimères*), pour obtenir sa libération (manuscrit Dumesnil de Gramont).
21 mars. Nouvelle crise, peu après sa sortie de la clinique (16 mars) et nouvel internement, à la clinique du Docteur Blanche à Montmartre.
Novembre. Sortie de la clinique.
(?) Lettre à Victor Loubens évoquant sa crise et comportant quatre sonnets « faits non au plus fort de ma maladie, mais au milieu même de mes hallucinations », dont les sonnets I et IV du futur « Christ aux Oliviers » et « Antéros ».

1842. 5 juin. Mort de Jenny Colon.
10 juillet. « Les Vieilles Ballades françaises » [« Chansons et légendes du Valois »] dans *La Sylphide*.
Décembre. Départ pour l'Orient.
25 décembre. « Un roman à faire » dans *La Sylphide*.

1843. En Orient.
19-26 mars. « Jemmy O'Dougherty » [« Jemmy »] dans *La Sylphide*.
Novembre. Passe par Naples à son retour d'Orient.

1844. Janvier. Retour à Paris.
10 mars. « Le Roman tragique » dans *L'Artiste*.
31 mars. « Poésie. Le Christ aux Oliviers » dans *L'Artiste*.
Septembre-octobre. Voyage en Belgique et aux Pays-Bas avec Arsène Houssaye.

1845. 16 mars. « Poésie. Pensée antique » [« Vers dorés »] dans *L'Artiste*.

6 juillet. « L'Illusion » [troisième lettre d'« Un roman à faire »] dans *L'Artiste*.
Décembre. « Le Temple d'Isis. Souvenir de Pompéi » [« Isis »] dans *La Phalange*.
28 décembre. « Poésie. Vers dorés » [« Delfica »] dans *L'Artiste*.

1846. Mai. Début de la publication des « Femmes du Caire » dans la *Revue des Deux Mondes*.

1847. 2 et 9 mai. « Jemmy O'Dougherty » [« Jemmy »] dans le *Journal du dimanche*.
27 juin et 4 juillet. « L'Iseum. Souvenir de Pompéi » [« Isis »] dans *L'Artiste*.

1848. 15 juillet et 15 septembre. Articles sur Heine, avec traductions, dans la *Revue des deux mondes*.

1849. 1er mars. Le premier numéro du *Temps* commence la publication en feuilleton du *Marquis de Fayolle*.
31 mars. Création des *Monténégrins*, livret d'Alboise et Nerval, musique de Limnander.
Mai-juin. Voyage à Londres avec Gautier.

1850. 16 juillet. Amendement Riancey à la loi sur la presse, frappant d'une taxe dissuasive les journaux publiant des romans-feuilletons.
Août-septembre. Voyage en Allemagne (Cologne, Weimar), via Bruxelles.
24 octobre-22 décembre. *Les Faux Saulniers* en feuilleton dans *Le National*.
29 décembre. « Variétés. Les livres d'enfants [...] » [contient « La Reine des poissons », sans titre] dans *Le National*.

1851. Mai. *Voyage en Orient*.
2 décembre. Coup d'État.

1852. 23 janvier-15 février. Hospitalisation à la maison Dubois.
Mai. Voyage en Belgique et en Hollande. *Les Illuminés*.
1er juillet-15 décembre. *La Bohême galante* en feuilleton dans *L'Artiste*.
Août. *Lorely*, dédié à Jules Janin.
9 octobre-13 novembre. *Les Nuits d'octobre* en feuilleton dans *L'Illustration*.

2 décembre. Louis-Napoléon devient Napoléon III.

1853. Janvier. *Petits châteaux de Bohême*.
6 février-27 mars. Hospitalisation à la maison Dubois.
15 août. « Sylvie » dans la *Revue des Deux Mondes*.
27 août-fin septembre. Crise et internement à la clinique du Docteur Blanche à Passy.
12 octobre. Rechute.
14 novembre. Lettre à Dumas intitulée « Trois jours de folie ».
22 novembre. Lettre délirante à George Sand.
10 décembre. « El Desdichado » dans *Le Mousquetaire* avec l'article de Dumas révélant la folie de Nerval.
17 décembre. « Octavie » dans *Le Mousquetaire*.

1854. Janvier. *Les Filles du feu*.
27 mai-fin juillet. Voyage en Allemagne.
8 août-19 octobre. Rentre à la clinique du Docteur Blanche.
31 octobre. « Amours de Vienne. Pandora » dans *Le Mousquetaire*.
30 décembre. *Promenades et souvenirs* [chap. I-III] dans *L'Illustration*.

1855. 1er janvier. Début d'*Aurélia* dans la *Revue de Paris*.
6 janvier. *Promenades et souvenirs* [chap. IV-VI] dans *L'Illustration*.
Nuit du 25 au 26 janvier. Retrouvé pendu rue de la VieilleLanterne (près du Châtelet).
30 janvier. Obsèques à Notre-Dame et inhumation au Père-Lachaise.
3 février. *Promenades et souvenirs* [chap. VII-VIII] dans *L'Illustration*.
15 février. Seconde partie d'*Aurélia* dans la *Revue de Paris*.

BIBLIOGRAPHIE

ÉDITIONS DES *FILLES DU FEU*

Œuvres complètes, éd. publiée sous la direction de Jean Guillaume et Claude Pichois, Bibliothèque de la Pléiade, Gallimard, 3 vol., 1984-1993.

Les Filles du feu, Nouvelles, par Gérard DE NERVAL, D. Giraud, 1854.

Les Filles du feu, Nouvelles, présentation de Roger Pierrot, Paris-Genève, Slatkine Reprints, 1979 (fac-similé de l'éd. Giraud de 1854).

Les Filles du feu, Nouvelles, éd. Nicolas Popa, 2 vol., Librairie ancienne Honoré Champion, 1931.

Les Filles du feu, Pandora, éd. Gabrielle Chamarat-Malandain, Pocket, 1992.

Les Filles du feu, Les Chimères, Sonnets manuscrits, éd. Jacques Bony, GF, Flammarion, 1994.

Les Filles du feu, Petits châteaux de Bohême, Promenades et souvenirs, éd. Michel Brix, Le Livre de Poche classique, Librairie Générale Française, 1999.

Le Temple d'Isis, Souvenir de Pompéi, éd. Hisashi Mizuno, Tusson, Du Lérot, 1997.

Les Filles du feu, Les Chimères, préface de Gérard Macé, éd. Bertrand Marchal, Gallimard, «Folio classique», 2005.

ICONOGRAPHIE

Album Gérard de Nerval, iconographie choisie et commentée par Éric Buffetaud et Claude Pichois, Gallimard, Bibliothèque de la Pléiade, 1993.

Exposition Gérard de Nerval, choix de documents et rédaction du catalogue par Éric Buffetaud, Bibliothèque historique de la Ville de Paris, 1996.

ÉTUDES

AUBAUDE, Camille, *Nerval et le mythe d'Isis*, Kimé, 1997.

BAYLE, Corinne, *Gérard de Nerval. La Marche à l'étoile*, Seyssel, Champ Vallon, 2001.

BÉNICHOU, Paul, *Nerval et la chanson folklorique*, José Corti, 1970.

—, *L'École du désenchantement, Sainte-Beuve, Nodier, Musset, Nerval, Gautier*, Gallimard, 1992.

BONEU, Violaine, «Modernité de l'idylle : une lecture de "Sylvie" au regard des "Gaîtés champêtres" de Jules Janin », dans *Gérard de Nerval et l'esthétique de la modernité*, dir. Jacques Bony, Gabrielle Chamarat-Malandain et Hisashi Mizuno, Hermann, 2010, p. 261-277.

BONNEFOY, Yves, *La Vérité de parole*, Gallimard, « Folio », 1995 (1988).

BONNET, Henri, « *Sylvie* » *de Nerval*, Hachette, « Poche critique », 1975.

BONY, Jacques, *Le Dossier des « Faux Saulniers »*, Namur, « Études nervaliennes et romantiques VII », 1984.

—, *Le Récit nervalien, Une recherche des formes*, José Corti, 1990.

—, *L'Esthétique de Nerval*, SEDES, 1997.

BOWMAN, Frank Paul, *Gérard de Nerval, La Conquête de soi par l'écriture*, Orléans, Paradigme, 1997.

BRIX, Michel, *Nerval journaliste (1826-1851)*, Namur, « Études nervaliennes et romantiques VIII », 1986.

—, *Manuel bibliographique des œuvres de Gérard de Nerval*, Namur, Presses universitaires de Namur, 1997.

—, *Les Déesses absentes, Vérité et simulacre dans l'œuvre de Gérard de Nerval*, Klincksieck, 1997.

CAMPION, Pierre, *Nerval, une crise dans la pensée*, Presses universitaires de Rennes, 1998.

CASTEX, Pierre-Georges, *« Sylvie » de Gérard de Nerval*, SEDES, 1970.

CELLIER, Léon, *Gérard de Nerval, l'homme et l'œuvre*, Hatier, 2e éd., 1963 [1956].

—, *De « Sylvie » à « Aurélia », structure close et structure ouverte*, Minard, 1971.

—, *Parcours initiatiques*, Neuchâtel, La Baconnière, 1977.

CHAMARAT-MALANDAIN, Gabrielle, *Nerval ou l'incendie du théâtre. Identité et littérature dans l'œuvre en prose de Gérard de Nerval*, José Corti, 1986.

—, *Nerval, réalisme et invention*, Orléans, Paradigme, 1997.

CHAMBERS, Ross, *Gérard de Nerval et la poétique du voyage*, José Corti, 1969.

—, *Mélancolie et opposition. Les débuts du modernisme en France*, José Corti, 1987.

COLLOT, Michel, *Gérard de Nerval ou la dévotion à l'imaginaire*, PUF, 1992.

DESTRUEL, Philippe, *Sylvie/Aurélia*, Nathan, 1994.

—, *Les Filles du feu*, Gallimard, « Foliothèque », 2001.

—, *L'Écriture nervalienne du temps*, Saint-Genouph, Nizet, 2004.

EISENZWEIG, Uri, *L'Espace imaginaire d'un récit : « Sylvie » de Gérard de Nerval*, Neuchâtel, La Baconnière, 1976.

FELMAN, Shoshana, *La Folie et la chose littéraire*, Le Seuil, 1978.

GENINASCA, Jacques, *Analyse structurale des « Chimères » de Nerval*, Neuchâtel, La Baconnière, 1971.

GUILLAUME, Jean, *Nerval. Masques et visages*, Namur, « Études nervaliennes et romantiques IX », 1988.

ILLOUZ, Jean-Nicolas, *Nerval, le « Rêveur en prose »*, PUF, 1997.

JEAN, Raymond, *Nerval par lui-même*, Le Seuil, 1964.

JEANNERET, Michel, *La Lettre perdue. Écriture et folie dans l'œuvre de Nerval*, Flammarion, 1978.

KOFMAN, Sara, *Nerval, le charme de la répétition*, Lausanne, L'Âge d'homme, 1979.

LEROY, Christian, « *Les Filles du feu* », « *Les Chimères* » *et* « *Aurélia* » *ou* « *la poésie est-elle tombée dans la prose ?* », Champion, 1997.

MACÉ, Gérard, *Ex Libris*, Gallimard, 1980.

MESCHONNIC, Henri, *Pour la poétique* III, Gallimard, 1973.

MIZUNO, Hisashi, *Nerval, L'Écriture du voyage*, Champion, 2003.

—, « "Sylvie" de Gérard de Nerval et la *Revue des Deux Mondes* », dans *Gérard de Nerval et l'esthétique de la modernité*, *op. cit.*, p. 209-223.

PICHOIS, Claude, et Brix, Michel, *Gérard de Nerval*, Fayard, 1995.

PICHOIS, Claude, *L'Image de Jean-Paul Richter dans les lettres françaises*, José Corti, 1963.

PILLU, Sylvie, *Poésies. Nerval*, Nathan, 2001.

POULET, Georges, *Trois essais de mythologie romantique*, José Corti, 1966.

RICHARD, Jean-Pierre, *Poésie et profondeur*, Le Seuil, 1955.

RICHER, Jean, *Nerval, expérience et création*, Hachette, 1963.

RINSLER, Norma, *Gérard de Nerval, Les Chimères*, Londres, The Athlone Press, 1973.

SANGSUE, Daniel, *Le Récit excentrique*, José Corti, 1987.

SCHAEFFER, Gérald, *Une double lecture de Gérard de Nerval,* « *Les Illuminés* » *et* « *Les Filles du feu* », Neuchâtel, La Baconnière, 1977.

SÉGINGER, Gisèle, *Nerval au miroir du temps, Les Filles du feu, les Chimères*, Ellipses, 2004.

STREIFF-MORETTI, Monique, *Le Rousseau de Gérard de Nerval. Mythe, légende, idéologie*, Bologne-Paris, Patron-Nizet, 1977.

SYLVOS, Françoise, *Nerval ou l'antimonde. Discours et figures de l'utopie, 1826-1855*, L'Harmattan, 1997.

TADIÉ, Jean-Yves, *Le Récit poétique*, Gallimard, 1994 (1978).

TRITSMANS, Bruno, *Textualités de l'instable. L'écriture du Valois de Nerval*, Berne, Peter Lang, 1989.

—, *Écritures nervaliennes*, Tübingen, Gunther Narr, 1993.

VADÉ, Yves, *L'Enchantement littéraire*, Gallimard, 1990.

WIESER, Dagmar, *Nerval : une poétique du deuil à l'âge romantique*, Genève, Droz, 2004.

Nerval, préface de Jean-Luc Steinmetz, Presses de l'Université de Paris-Sorbonne, « Mémoire de la critique », 1997.

Gérard de Nerval, cahier dirigé par Jean Richer, Éditions de l'Herne, [1980].

L'Imaginaire nervalien. L'Espace de l'Italie, textes recueillis et présentés par Monique Streiff-Moretti, Naples, Edizione Scientifiche Italiane, 1988.

Nerval. Une poétique du rêve. Actes du colloque de Bâle, Mulhouse et Fribourg, éd. Jacques Huré, Joseph Jurt et Robert Kopp, Paris-Genève, Champion-Slatkine, 1989.

Gérard de Nerval. « Les Filles du feu », « Aurélia ». Soleil noir, textes réunis par José-Luis Diaz, SEDES, 1997.

Nerval, actes du colloque de la Sorbonne, dir. André Guyaux, Presses de l'Université de Paris-Sorbonne, 1997.

Médaillons nervaliens : onze études à la mémoire du P. Jean Guillaume, textes réunis par Hisashi Mizuno, Saint-Genouph, Nizet, 2003.

« Clartés d'Orient ». Nerval ailleurs, dir. Jean-Nicolas Illouz et Claude Mouchard, Laurence Teper, 2004.

ARTICLES

Brix, Michel, « De Julie à Sylvie. Gérard de Nerval, légataire de Jean-Jacques Rousseau », dans *Rousseau et le romantisme*, dir. Philip Knee, Montmorency, Société internationale des Amis du Musée J.-J. Rousseau, 2011, p. 119-135.

Chamarat, Gabrielle, « "Un petit roman qui n'est pas tout à fait un conte" : peut-on parler d'un réalisme de "Sylvie" ? », *Revue d'Histoire littéraire de la France*, n° 3, 2008, p. 593-606.

Illouz, Jean-Nicolas, « Nerval : langue perdue, prose errante (à propos des Chansons et Légendes du Valois) », *Sorgue*, n° 4, automne 2002, p. 15-25.

—, « Une théorie critique du romantisme : Sylvie de Nerval », *Mélanges offerts à Béatrice Didier*, PUF, 2005.

Mizuno, Hisashi, « La formation d'un mythe de l'actrice », *Kobe Kaisei Review* n° 38, 1999, p. 123-144.

Popa, Nicolas, « Les Sources allemandes de deux "Filles du feu", "Jemmy" et "Isis" de Gérard de Nerval », *Revue de littérature comparée*, 1930, p. 486-520.

Rossini, Anne, « L'Ironie dans "Sylvie" », *L'Information littéraire*, avril-juin 2002, p. 12-22.

NOTICE

Dans *Les Faux Saulniers* et dans « Angélique », « le gracieux nom de Sylvie » n'apparaissait que comme le féminin de Sylvain, petit nom du compagnon du narrateur dans son pèlerinage valoisien et souvenir de la muse de Théophile de Viau. C'est autour de ce nom que s'opéra la cristallisation littéraire ou la recomposition de souvenirs d'enfance dont font mémoire plusieurs textes où cette « petite Velléda du vieux pays des Sylvanectes[1] » s'appelle tantôt Célénie[2], tantôt Sydonie ou Sophie[3].

Sur la genèse de « Sylvie », publiée le 15 août 1853 dans la *Revue des Deux Mondes* et reprise quelques mois plus tard dans *Les Filles du feu*, la correspondance de Nerval est à peu près muette. Est-ce à « Sylvie » ou aux futures *Filles du feu* (qui faillirent, on l'a vu, s'appeler *Les Amours passées*) que fait allusion la lettre à Anténor Joly de mars 1852 ? « Je n'ai trouvé, écrivait Nerval, que deux titres qui expriment ce que je veux faire : *L'Amour qui passe* ou *Scènes de la vie*, ou les deux[4]. » Seule certitude : la rédaction, dans les premiers mois de 1853, fut sans doute laborieuse, si l'on en croit la lettre à Victor de Mars du 11 février : « Je n'arrive pas. C'est déplorable. Cela tient

1. *Promenades et souvenirs*, chap. VIII.
2. *Ibid.*
3. Voir « Sydonie », *NPl* III, p. 766.
4. *NPl* II, p. 1298.

peut-être à vouloir trop bien faire. Car j'efface presque tout à mesure que j'écris[1]. » Quant aux avant-textes qui nous restent, ils se limitent à deux petits feuillets couverts de notes très elliptiques et difficilement déchiffrables, et à un petit morceau de texte déchiré (voir en Annexes, p. 107-109).

Deux lettres bien postérieures à la publication jettent cependant quelque lueur sur l'idée que Nerval se faisait de sa nouvelle. Le 5 novembre 1853, en quête d'une édition illustrée, il écrivait à Maurice Sand : « J'ai écrit il y a trois ou quatre mois un petit roman qui n'est pas tout à fait un conte. C'est intitulé *Sylvie*, et cela a paru dans la *Revue des Deux Mondes* [...]. C'est une sorte d'idylle, dont votre illustre mère est un peu cause par ses bergeries du Berry. J'ai voulu illustrer aussi mon Valois[2]. » Le 23 juin 1854, évoquant la traduction allemande de « Sylvie », il écrivait à Liszt : « J'estime, d'ici, que cela sera plus clair pour les Allemands que pour les Français. Une fois ma tête débarrassée de ce *mille-pattes* romantique, je me sens très propre à des compositions claires[3]. » « Sylvie » serait en somme, transposée dans la terre maternelle du Valois redécouverte en 1850, une bergerie à la George Sand, mâtinée de romantisme allemand. C'est pourtant un tout autre modèle que désigne l'un des feuillets de notes. En tête du deuxième feuillet se lit en effet : « Pays. perv. » Qu'on lise *Le Paysan perverti* ou *La Paysanne pervertie*, « Sylvie » s'écrirait donc sous le patronage de celui à qui Nerval avait consacré en août et septembre 1850 trois articles qui venaient d'être repris dans *Les Illuminés* : Nicolas Rétif de La Bretonne, « le *Jean-Jacques des Halles*[4] ». On peut lire en effet « Sylvie » comme l'épure thématique et structurelle des deux premières parties des « Confidences de Nicolas » (qui ne font que paraphraser et recomposer *Monsieur Nicolas ou le Cœur humain dévoilé*, « c'est-à-dire la vie même de l'auteur,

1. *NPl* III, p. 799.
2. *NPl* III, p. 819-820.
3. *Ibid.*, p. 871.
4. *Les Illuminés*, éd. Max Milner, Gallimard, « Folio classique », p. 131.

offr[a]nt à peu près tous les éléments du sujet déjà traité dans *Le Paysan perverti*[1] ») ; ou plutôt, « Les Confidences de Nicolas » constituent comme une première version de « Sylvie », une « Sylvie » à la troisième personne et sous le masque d'un double : ici comme là, le même incipit évoquant la sortie d'un théâtre et l'amour chimérique pour une actrice, le même explicit désenchanté au moment des retrouvailles tardives avec la petite paysanne aimée dans la jeunesse : « C'était là le bonheur peut-être[2] ! » s'exclame M. Nicolas, « Là était le bonheur peut-être », répond en écho le narrateur de « Sylvie ». Quant à la confusion des femmes aimées, elle vient encore de Rétif, dont Nerval rappelle qu'il prétendait n'avoir « jamais aimé que la même femme… en trois personnes[3] » : « Cette théorie des ressemblances est une des idées favorites de Restif, qui a construit plusieurs de ses romans sur des suppositions analogues[4]. » Mais si nombreux que soient les échos des « Confidences de Nicolas » dans « Sylvie », cette nouvelle saturée de références littéraires (de *La Nouvelle Héloïse* de Rousseau aux *Souffrances du jeune Werther* de Goethe, en passant par *L'Âne d'or* d'Apulée, *La Divine Comédie* de Dante, *Le Songe de Poliphile* de Francesco Colonna ou les *Idylles* de Gessner) n'est pas plus réductible au modèle rétivien qu'au modèle sandien. « Sylvie » est sans doute le récit le plus achevé de Nerval, celui qui (ré)orchestre dans une forme rigoureuse tous les thèmes de son œuvre selon la logique d'une traversée de la mémoire (personnelle et historico-légendaire) qui est à la fois une forme d'initiation à rebours, à la manière du *Voyage en Orient*, et une révision critique du romantisme des années 1830.

Dans la stricte unité de temps de ce récit au passé — les douze premiers chapitres couvrent exactement vingt-quatre heures et concentrent cet *À la recherche du temps perdu* avant la lettre dans l'épure d'une tragédie classique

1. *Ibid.*, p. 261.
2. *Ibid.*, p. 242.
3. *Ibid.*, p. 209.
4. *Ibid.*

—, les chapitres nocturnes (I-VII) sont illuminés par les souvenirs d'enfance, tandis que les chapitres diurnes (VIII-XII) ne retrouvent le passé que sur le mode du désenchantement, si bien que le chapitre XIII, comme après un tour de cadran symbolique, revient à la situation initiale d'une soirée au théâtre, et que le « Dernier feuillet », détaché du récit par le présent de l'énonciation, érige le narrateur en héros dompteur de chimères. Ces chimères « qui charment et égarent au matin de la vie » ne sont pas seulement celles de la jeunesse, mais aussi celles du romantisme de 1830, sur lesquelles le narrateur de 1853 jette un regard sans doute nostalgique, mais aussi ironique et critique. Si le théâtre, comme cet autre univers de fiction qu'est la littérature, est le monde de l'artifice et de l'illusion, l'illusion suprême, pour celui qui, à Loisy, s'éloigne du théâtre et « tâche d'oublier les livres », est celle d'un retour possible à la nature comme lieu de vérité, d'innocence et de pureté. Car cette nature-là n'est rien d'autre qu'un mythe, une construction du romantisme ou, plus largement, de la littérature, de Virgile et d'Horace à Rousseau ou, sur le mode mièvre, de Boufflers et Chaulieu à Gessner. Au Père Dodu, cette figure dégradée de Rousseau, qui oppose la bonté de la nature à la société qui corrompt, le narrateur peut ainsi répondre que « l'homme se corrompt partout ». Si le narrateur est un paysan perverti, Sylvie, sans avoir jamais quitté le Valois, est tout autant une paysanne pervertie. L'alternative n'est donc pas de se perdre au théâtre ou de le fuir à la recherche d'une nature qui n'existe pas — la nature dans ce Valois hanté par Rousseau est saturée de littérature, et l'épisode d'Adrienne ou celui des noces enfantines ne sont rien d'autre que du théâtre —, mais d'accepter le *theatrum mundi* comme espace d'initiation : « J'ai passé par tous les cercles de ces lieux d'épreuves qu'on appelle théâtres. » Bien plus qu'une bergerie du Valois ou qu'un roman de la campagne, « Sylvie » est donc un roman du théâtre. En marge du deuxième feuillet de notes évoqué plus haut, on trouve cette formule qui n'est paradoxale qu'en apparence : « Rappeler le R. tragique ». On se souviendra alors que l'actrice de « Sylvie » porte le même nom que celle du *Roman tragique* : Aurélie, et on reconnaîtra dans le narrateur un double de Brisacier dont le vœu fou d'incendier le théâtre est une autre façon (illusoire) de sortir du monde de l'illusion. Comme dans *Le Roman tragique* encore, « Sylvie » retrouve le motif du deuil de l'Étoile. Mais alors que dans celui-là l'Étoile désigne l'actrice dont Brisacier, délaissé par elle, n'arrive pas à faire son deuil, la « seule étoile » de « Sylvie » n'est plus l'actrice, mais le couple même d'Adrienne et de Sylvie, ces « deux moitiés d'un seul amour » dont le narrateur reconnaît ainsi au Dernier feuillet la nature chimérique, ou théâtrale. On peut ici laisser le dernier mot à l'actrice, qui s'y connaît en matière de théâtre : « Vous ne m'aimez pas ! Vous attendez que je vous dise : La comédienne est la même que la religieuse ; vous cherchez un drame, voilà tout, et le dénouement vous échappe. »

CHANSONS ET LÉGENDES DU VALOIS

Les « Chansons et légendes du Valois » ne constituent pas à proprement parler une section des *Filles du feu*, mais sont comme un appendice de « Sylvie ». Nerval y reprend un article vieux de plus de dix ans, « Les Vieilles Ballades françaises » (abrégé ci-dessous en *VBF*), publié dans *La Sylphide* du 10 juillet 1842 et déjà republié trois fois entre 1847 et 1851. Il y insère, juste avant le dernier paragraphe, le conte de « La Reine des poissons », publié pour la première fois, sans titre, dans *Le National* du 29 décembre 1850, dans un compte rendu de livres pour enfants, puis repris presque simultanément dans *La Bohême galante* (chap. XV) et dans *Contes et facéties* (décembre 1852).

Des « Vieilles Ballades françaises » aux « Chansons et légendes du Valois », le changement de titre dit assez le déplacement de la perspective, renforcé par la réécriture de l'incipit et la suppression de chansons sans rapport avec le Valois et l'addition de deux chansons, celle de Biron et la chanson préférée de Sylvie. Un tel déplacement est sans doute plus apparent que réel pour qui, comme le narrateur de « Sylvie », « se sentait bien exister dans ce vieux pays du Valois, où, pendant plus de mille ans, a battu le cœur de la France » (p. 25). Mais là où l'article de 1842, dans la logique des préfaces de 1830 au choix de *Poésies allemandes* et au *Choix des poésies de Ronsard*, s'appliquait à exhumer, dans les vieilles chansons françaises, cette poésie nationale et populaire où s'étaient déjà ressourcées l'Angleterre, l'Allemagne ou l'Espagne, pour contribuer, à sa mesure, à un romancero français, l'appendice de « Sylvie » renforçait la dimension valoisienne de ces chansons et intégrait cette mémoire collective dans une mémoire personnelle de façon à consacrer la profondeur imaginaire de la « géographie magique » (selon l'expression de Jean-Pierre Richard) du Valois d'« Angélique » et de « Sylvie ». Le même glissement se constate dès l'incipit dans le conte expressément naturalisé valoisien de « La Reine des poissons », où la trinité fluviale originelle de la Marne, de la Meuse et de la Moselle devient dans *Les Filles du feu* celle de la Marne, de l'Oise et de l'Aisne.

NOTES

Page 19.

1. *Je sortais d'un théâtre* : cet incipit symbolique, inaugurant cet autre voyage en Orient qu'est le pèlerinage valoisien de « Sylvie » par une sortie du théâtre et de ses illusions, rappelle l'incipit des « Confidences de Nicolas » dans *Les Illuminés*.

Page 20.

1. Voir Gautier à propos de la danseuse Fanny Elssler : elle « ressemble [...] à ces danseuses ioniennes qui voltigent demi-nues sur les fonds noirs des panneaux d'Herculanum » (*La Presse*, 27 août 1838). Les *Heures* sont dans la mythologie les trois déesses dansantes qui régissent l'ordre de la nature, et qui ont été ainsi identifiées aux saisons. Ces Heures divines des fresques d'Herculanum, Nerval en a proposé la résurrection théâtrale dans le « Ballet des Heures de L'Imagier de Harlem » (1851), et la résurrection poétique dans le manuscrit d'« Artémis » également intitulé « Ballet des Heures ».
2. La *princesse d'Élide* et la *reine de Trébizonde* évoquent moins des personnages historiques que des personnages fabuleux ou des fictions théâtrales (*La Princesse d'Élide* de Molière).
3. *Un de mes oncles* : sans doute le grand-oncle Antoine Boucher de Mortefontaine.
4. *Une époque étrange* : cette époque est celle du désenchantement qui suivit la révolution avortée de 1830,

celle qu'évoque Musset dans *La Confession d'un enfant du siècle*.

Page 21.

1. *Certains instincts de renaissance* : sur ce rêve nervalien de renaissance, qui superpose un imaginaire de la Renaissance historique et un rêve de palingénésie (renaissance comme régénération), voir la « tentative palingénésique » d'« Isis », l'article du 22 décembre 1838 sur le bien nommé Théâtre de la Renaissance (*NPl* I, p. 457) et les articles des 12 et 26 mai 1844 sur une représentation de l'*Antigone* de Sophocle (*NPl* I, p. 801 et 805).

2. Le philosophe grec *Pérégrinus* dit « Protée », qui s'immola par le feu, et son contemporain *Apulée*, l'auteur latin de *L'Âne d'or*, sont les deux figures de l'Antiquité dans lesquelles Nerval se plaît à reconnaître ses doubles, mixtes d'enthousiasme et d'ironie, ou de feu et de jeu. Sur Apulée, voir le portrait que donne de lui Nerval dans *Les Illuminés*, « Jacques Cazotte », II (Folio classique, p. 307), véritable autoportrait à la troisième personne.

3. Ces *paradoxes platoniques* et ces *rêves renouvelés d'Alexandrie* évoquent l'école néoplatonicienne d'Alexandrie au IIIe siècle (Ammonius, Plotin, Porphyre) et sa renaissance florentine au XVe siècle (Ficin), qui tentèrent de concilier paganisme et christianisme.

Page 23.

1. *Je redevenais riche* : sur ce point, le narrateur est plus chanceux que Nerval.

2. *Les archers de Senlis doivent rendre le bouquet à ceux de Loisy* : Jacques Bony a montré qu'une compagnie d'archers a effectivement existé à Loisy. Pour autant, ces fêtes du bouquet, qui ont perduré jusque dans la seconde moitié du XXe siècle, n'avaient rien de druidique, mais remontaient au XIVe siècle. Nerval sacrifie ici au mythe druidique à la mode alors.

Page 24.

1. *Plongé dans une demi-somnolence* : ces souvenirs sont donc à demi rêvés. Voir le début du chap. III.

2. *Je me représentais un château du temps de Henri IV* : voir « Fantaisie » (*Odelettes*) : « [...] / C'est sous Louis treize... Et je crois voir s'étendre / Un coteau vert que le couchant jaunit, / Puis un château de brique à coins de pierre, / Aux vitraux teints de rougeâtres couleurs, / [...] »

Page 25.

1. *Une de ces anciennes romances* : par exemple la chanson du roi Loys d'« Angélique ».

Page 26.

1. *Le sang des Valois coulait dans ses veines* : voir « Delphine » dans « Angélique ». Cet amour tout platonique pour une religieuse rappelle aussi *Le Songe de Poliphile* de Francesco Colonna.

Page 27.

1. *Tout m'était expliqué par ce souvenir à demi rêvé* : voir *Les Illuminés*, « Les Confidences de Nicolas », I, VI : « Cette femme, il l'avait vue autrefois, mais non pas telle qu'elle lui apparaissait maintenant ; son image se trouvait à demi noyée dans une de ces impressions vagues de l'enfance qui reviennent par instants comme le souvenir d'un rêve » (Folio classique, p. 161).

2. *Et si c'était la même !* : voir *Les Illuminés*, « Les Confidences de Nicolas », II, III : « Cette théorie des ressemblances est une des idées favorites de Restif, qui a construit plusieurs de ses romans sur des suppositions analogues. Ceci est particulier à certains esprits et indique un amour fondé plutôt sur la forme extérieure que sur l'âme ; c'est, pour ainsi dire, une idée païenne, et il n'est guère possible d'admettre, comme Restif le prétend, qu'il n'a jamais aimé que la même femme... en trois personnes » (Folio classique, p. 209).

Page 28.

1. *Sa fenêtre où le pampre s'enlace au rosier* : voir ce vers de « El Desdichado » : « Et la treille où le pampre à la rose s'allie ».

Page 29.

1. Cette *pendule* arrêtée de style Renaissance, où la Diane historique (Diane de Poitiers) se confond avec la Diane mythologique, est le symbole de cette remontée dans le temps qui se double d'un rêve de renaissance. Elle n'est pas sans rapport non plus avec le sonnet « Artémis » des *Chimères*.

2. Sur la *route* des *Flandres*, voir la préface « À Alexandre Dumas », p. 105, n. 2.

Page 30.

1. *Recomposons les souvenirs* : le récit n'obéit pas aux caprices de la mémoire, mais relève d'une véritable recomposition.

2. « *Un voyage à Cythère* », sous le double patronage de Francesco Colonna et de Watteau, rejoue dans l'Orient valoisien le voyage à Cythère (lui-même plus livresque que réel) du *Voyage en Orient*, avec la même figure centrale de Vénus-Uranie.

Page 31.

1. Le chevalier de *Boufflers* (1738-1815) et l'abbé de *Chaulieu* (1639-1720), poètes légers au goût antiquisant.

2. Sur *L'Embarquement pour Cythère* de Watteau, voir « Angélique » : « Le voyage à Cythère de Watteau a été conçu dans les brumes transparentes et colorées de ce pays. C'est une Cythère calquée sur un îlot de ces étangs créés par les débordements de l'Oise et de l'Aisne, — ces rivières si calmes et si paisibles en été » (Folio classique, p. 78).

Page 33.

1. *Saint-S...* : Saint-Sulpice-du-Désert, à Mortefontaine, dont le couvent, évoqué au paragraphe suivant, était sécularisé depuis 1778. C'était en outre un couvent d'hommes.

Page 34.

1. *Les fils d'Armen* : les Germains. Armen, l'Arminius de Tacite (Hermann pour les Allemands) s'illustra dans la guerre contre les Romains : il vainquit Varus en 9, mais fut

défait par Germanicus en 16. Il fut au XIXe siècle considéré par l'Allemagne romantique comme un héros national (à l'égal de Vercingétorix en France). Si Nerval évoque ici le souvenir des fils d'Armen en bordure de la forêt d'Ermenonville, c'est qu'il se plaît (comme il l'a fait dans « Angélique », Folio classique, p. 103) à faire d'Armen / Hermann l'étymon d'Ermenonville, alors que la cité tient son nom d'un évêque de Senlis au IXe siècle, Irminon ou Ermenon.

Page 35.

1. *Elle exécute de fines dentelles* : la petite paysanne est devenue dentellière.

Page 36.

1. *Les pervenches si chères à Rousseau* : voir les *Confessions*, VI, où la reconnaissance inopinée de la pervenche, quelque trente ans après que « maman » (Mme de Warens) lui en eut montré, manifeste dans « un cri de joie : *Ah ! voilà de la pervenche !* » la force et la vérité du souvenir des Charmettes.

2. *Auguste Lafontaine* (1758-1831), romancier populaire allemand alors à la mode.

Page 37.

1. *Le feu dans la maison* : Sylvie est bien une fille du feu.

Page 39.

1. Le Théâtre des *Funambules*, sur l'ancien boulevard du Temple.

2. Jean-Baptiste *Greuze* (1725-1805), peintre de genre admirateur de Rousseau, aux compositions pathétiques et édifiantes admirées par Diderot.

Page 40.

1. *Le naïf épithalame* : voir plus loin dans « Chansons et légendes du Valois » (p. 68) la strophe d'une telle chanson célébrant des mariés.

Page 41.

1. *Le cantique de l'Ecclésiaste* : le Cantique des cantiques,

traditionnellement attribué à Salomon, lui-même identifié avec l'Ecclésiaste (en hébreu Qôheleth) qui a donné son nom au Livre de l'Ecclésiaste.

Page 42.

1. L'alliance des Valois et des Médicis donne au Valois des faux airs d'Italie, sous le signe de la Renaissance et du néoplatonisme. Voir « Angélique » (Folio classique, p. 73) : « C'était l'esprit du temps, — où la lecture des poètes italiens faisait régner encore, dans les provinces surtout, un platonisme digne de celui de Pétrarque ».

Page 43.

1. Voir l'épisode intitulé « Delphine » dans « Angélique » (Folio classique, p. 81), qui constitue la première version de ce passage.

Page 45.

1. La citation exacte de *La Nouvelle Héloïse* est : « Jamais fille chaste n'a lu de Romans [...] Celle qui, malgré ce titre, en osera lire une seule page, est une fille perdue. »

Page 47.

1. François *Boucher* (1703-1770), le maître de la peinture galante ; Jean-Michel *Moreau*, dit Moreau le Jeune (1741-1814), peintre et graveur, illustrateur de Rousseau.

Page 48.

1. *L'ancien possesseur du domaine* : le marquis René de Girardin (1735-1808), disciple et hôte de Rousseau, créateur du jardin d'Ermenonville.
2. *L'Anacharsis* : le célèbre *Voyage du jeune Anacharsis en Grèce vers le milieu du IVe siècle avant l'ère vulgaire* (1788) de l'abbé Barthélemy (1716-1795), qui contribua à la mode de l'archéologie antique.

Page 49.

1. « *Felix qui potuit rerum cognoscere causas* » (« Heureux celui qui put connaître les causes des choses ») : citation des *Géorgiques* de Virgile, II, 490.

2. *La tombe de Rousseau, vide de ses cendres* : depuis le transfert au Panthéon en 1794.

Page 50.

1. Cette *ferme suisse* compose un décor d'idylle de Gessner.

Page 52.

1. La petite paysanne est devenue une ouvrière, et la fée des légendes est devenue *fée industrieuse*.

Page 53.

1. Sur les *moines rouges*, voir « Angélique » (Folio classique, p. 131) : « Il m'a chanté je ne sais quelle chanson des *Moines rouges* qui habitaient primitivement Châalis. — Quels moines ! C'étaient des Templiers ! — Le roi et le pape se sont entendus pour les brûler. »

2. *La chanson de la belle fille enlevée au jardin de son père* : voir cette chanson dans « Angélique » (Folio classique, p. 85). Elle est également évoquée dans « Chansons et légendes du Valois », p. 73.

3. *Elle phrasait !* : c'est là la marque suprême de dégradation du personnage de Sylvie, qui n'est plus, dans ce pays où, selon « Angélique », « La musique [...] n'a pas été gâtée par l'imitation des opéras parisiens, des romances de salon ou des mélodies exécutées par les orgues », l'âme et surtout la voix de la nature. Voir *Les Nuits d'octobre*, X : « Ô jeune fille à la voix perlée ! — tu ne sais pas *phraser* comme au Conservatoire ; — tu ne *sais pas chanter*, ainsi que dirait un critique musical... Et pourtant ce timbre jeune, ces désinences tremblées à la façon des chants naïfs de nos aïeules, me remplissent d'un certain charme ! Tu as composé des paroles qui ne riment pas et une mélodie qui n'est pas *carrée* ; — et c'est dans ce petit cercle seulement que tu es comprise, et rudement applaudie. On va conseiller à ta mère de t'envoyer chez un maître de chant, et dès lors, te voilà perdue... perdue pour nous ! » Voir aussi *Promenades et souvenirs*, III : « Le Conservatoire n'a pas terni l'éclat de ces intonations pures et naturelles, de ces trilles empruntés au chant du rossignol ou du merle, ou n'a pas faussé avec

les leçons du solfège ces gosiers si frais et si riches en mélodie. »

Page 54.

1. *Les armoiries de la maison d'Este* : Hippolyte d'Este fut le premier abbé commendataire de Châalis.

2. Nicola *Porpora* (1686-1767), compositeur napolitain popularisé par George Sand dans *Consuelo*.

Page 55.

1. *Aurélie* : voir la préface « À Alexandre Dumas », p. 99, et la note 2.

Page 56.

1. Le *père Dodu* apparaît comme la figure dégradée jusqu'à la bouffonnerie de Rousseau et de la paternité.

Page 57.

1. *Cueillir les ciguës...* : dans un passage des *Faux Saulniers* non repris dans « Angélique », Sylvain lisait au narrateur le scénario d'un drame sur la mort de Rousseau, brodant sur son suicide prétendu et présentant la scène ici évoquée.

Page 58.

1. Cet épisode de la noyade du petit Parisien est évoqué dans *Les Faux Saulniers* (*NPl* II, p. 91-92, passage non repris dans « Angélique »), sauf que c'est Sylvie qui sauvait le narrateur, et dans *Promenades et souvenirs*, VIII, où Sylvie s'appelle Célénie.

Page 59.

1. *Des vers faiblement inspirés de Schiller, que l'on devait à un talent de l'époque* : *Marie Stuart* de Pierre Lebrun, d'après Schiller, créée en 1820.

2. *Madame Prévost* : fleuriste près du Théâtre-Français.

Page 60.

1. *J'avais entrepris de fixer dans une action poétique...* : ce projet attesté de drame qui se fût intitulé *Francesco*

Colonna n'aboutit pas. On notera la confusion (involontaire ?) qui substitue Laura, la muse de Pétrarque, à Polia, la religieuse aimée par Francesco Colonna. Voir p. 42, où Nerval fondait déjà les « sentimentalités de Pétrarque » et le « mysticisme fabuleux de Francesco Colonna ».

2. *J'ai mangé du tambour et bu de la timbale* : cette formule des mystères de Phrygie, et non d'*Éleusis*, utilisée par Nerval dans sa lettre délirante à George Sand du 22 novembre 1853, est rapportée par Clément d'Alexandrie (*Protreptique*, II, 15, 3) : « 'Eϰ τυμπάνου ἔφαγον· ἐϰ ϰυμβάλου ἔπιον· ἐϰεϱνοφόϱησα. » Nerval a dû la trouver dans l'*Origine de tous les cultes* de l'Idéologue Charles François Dupuis (1742-1809), ouvrage qui connut un succès considérable, dans lequel l'auteur, athée militant dissimulé sous le masque du savant, s'appliquait à une déconstruction naturaliste des religions. Voir ce passage qui renvoie au *Protreptique* de Clément : « Le Récipiendaire aux mystères était interrogé par le Grand-Prêtre, à qui il devait répondre ces paroles énigmatiques : / "J'ai mangé du tambour ; j'ai bu de la cymbale ; et j'ai porté le cernos." Ce sont de vraies phrases de Franmaçonnerie, qu'il n'était donné qu'aux Frères de cette Confrairie d'entendre : c'était l'argot des mystères » (tome II, deuxième partie, « Traité des Mystères », H. Agasse, 1795, p. 88). Au mot « cymbale », une note renvoie au commentaire suivant à la fin du volume (p. 287) : « C'était une espèce de vase de terre, dans lequel étaient renfermés des pavots blancs, du froment, du miel et de l'huile. » La formule se trouve aussi dans la *Symbolique* de Creuzer traduite par Guigniaut (tome III, I, Cabinet de Lecture allemande de Jean-Jacques Kossbuhl, 1839, p. 255) : « Une dernière formule, dont il est plus difficile de rendre compte, est la suivante : "J'ai mangé du tambour et bu de la cymbale", se rapportant, selon toute apparence, à un banquet nocturne qui faisait partie de la fête. » Sur les débats autour de cette formule, voir Hisashi Mizuno, « "J'ai mangé du tambour et bu de la cymbale". Nerval et les mystères de l'amour », *RHLF*, n° 4, 2000.

Page 62.

1. *Madame de F...* : Madame Adrien de Feuchères, née

Sophie Dawes (1790-1840), propriétaire du domaine de Mortefontaine.

Page 63.

1. Cette allusion aux *bosquets de Clarens* fait de « Sylvie » *La Nouvelle Héloïse* de Nerval.

2. Salomon *Gessner* (1730-1788), poète suisse de langue allemande, dont les *Idylles* (1756) connurent dans toute l'Europe un grand succès.

3. *Tu as perdu ta seule étoile* : cette perte de l'étoile unique relie « Sylvie » à « À Alexandre Dumas » et à « El Desdichado ».

4. *L'astre trompeur d'Aldebaran* : voir Hugo, *Amy Robsart*, acte V, scène III : « Ces jeunes filles d'Ève changent de couleur plus souvent et plus vite que l'étoile Aldébaran », et cette note manuscrite de la même époque : « Aldébaran / Cet astre qui change de couleur toutes les secondes, tour à tour, bleu, rouge, vert, jaune, l'étoile caméléon » (*Œuvres complètes*, éd. J. Massin, Le Club français du livre, tome III, 1967, p. 1184).

5. *Certains vers de Roucher* : voir ces vers dans « Angélique », Folio classique, p. 125-126.

Page 65.

1. *Là était le bonheur peut-être* : voir « Les Confidences de Nicolas » : « C'était là le bonheur peut-être ! » et la fin d'« Octavie » : « [...] je me dis que peut-être j'avais laissé là le bonheur. »

2. *Lolotte* (Charlotte) et *Werther*, personnages des *Souffrances du jeune Werther*, modèle par excellence de l'idylle tragique.

CHANSONS ET LÉGENDES DU VALOIS

Page 66.

1. Nerval a récrit pour *Les Filles du feu* le début de l'article de 1842 qui se lisait ainsi : « Avant d'écrire, chaque

peuple a chanté ; toute poésie s'inspire à ces sources naïves, et l'Espagne, l'Allemagne, l'Angleterre, citent chacune avec orgueil leur romancero national. Pourquoi la France n'a-t-elle pas le sien ? On nous citera les guerz bretons, les noëls bourguignons et picards, les rondes gasconnes, mais aucun chant… »

2. *On publie aujourd'hui les chansons patoises de Bretagne ou d'Aquitaine* : le recueil « *Barzaz-Breiz* ». *Chants populaires de la Bretagne* de La Villemarqué était paru en 1839 ; celui des *Chansons et airs populaires du Béarn* de Frédéric Rivarès en 1844.

Page 68.

1. Charles *Collé* (1709-1783), Pierre Antoine Augustin de *Piis* (1755-1832) et Charles François *Panard* (1694-1765), chansonniers (trop) bien représentés (avec beaucoup d'autres chansonniers modernes et vaudevillistes) dans les recueils de chansons populaires de Dumersan et Noël Ségur : *Chants et chansons populaires de la France*, Delloye, 1843 ; *Chansons nationales et populaires de la France*, 1847 ; *Chansons et rondes enfantines*, s. d. Sous le titre ambigu de chansons populaires, on confondait alors les chansons anciennes ou folkloriques et les chansons à succès.

2. Ici Nerval a supprimé la citation d'une chanson de mer qui n'avait évidemment rien de valoisien : « Panard ! / Les étrangers reprochent à notre peuple de n'avoir aucun sentiment de la poésie et de la couleur ; mais où trouver une composition et une imagination plus orientale que dans cette chanson de nos mariniers ? // Ce sont les filles de La Rochelle / Qui ont armé un bâtiment / Pour aller faire la course / Dedans les mers du Levant. // La coque en est en bois rouge, / Travaillé fort proprement ; / La mâture est en ivoire, / Les poulies en diamant. // La grand' voile est en dentelle / La misaine en satin blanc ; / Les cordages du navire / Sont de fils d'or et d'argent. // L'équipage du navire, / C'est tout filles de quinze ans ; / Les gabiers de la grande hune / N'ont pas plus de dix-huit ans ! etc. // Les »

Page 69.

1. Nouvelle suppression, pour la même raison géogra-

phique : « Gentilles !... Étonnez-vous après ce tambour-là de nos soldats devenus rois ! Voyons maintenant ce que va faire un capitaine : // *À Tours en Touraine / Cherchant ses amours, / Il les a cherchées, / Il les a trouvées / En haut d'une tour.* // Le père n'est pas un roi, mais un simple châtelain qui répond à la demande en mariage : // *Mon beau capitaine, / Ne te mets en peine / Tu ne l'auras pas.* // La réplique du capitaine est superbe : // *Je l'aurai par terre, / Je l'aurai par mer / Ou par trahison !* // Il fait si bien en effet, qu'il enlève la jeune fille sur son cheval, et l'on va voir comme elle est bien traitée une fois en sa possession : // *À la première ville / Son amant l'habille / Tout en satin blanc ! / À la seconde ville / Son amant l'habille / Tout d'or et d'argent. // À la troisième ville / Son amant l'habille / Tout en diamants ! / Elle était si belle, / Qu'elle passait pour reine / Dans le régiment !* // Après »

Page 70.

1. Paul Bénichou a signalé que Nerval est le premier à donner un texte complet du *Roi Renaud* et qu'il redécouvre la *Complainte de saint Nicolas*.

Page 71.

1. « *Lénore* » de *Bürger* (1747-1794) et « *Le roi des Aulnes* » de *Goethe* ont été traduits en prose par Nerval dans son choix de *Poésies allemandes* (1830). « Lénore » fut en outre retraduit en vers la même année.

Page 73.

1. Ludwig *Uhland* (1787-1862), poète romantique allemand, auteur de ballades et de chants populaires (*Volkslieder*). Nerval a traduit deux de ses poèmes, « L'ombre de Körner » et « La Sérénade ».
2. Dans « Angélique », Folio classique, p. 85.
3. Version de *VBF* (corrigée par souci de ne pas redonner le texte de la chanson du roi Loys déjà citée dans « Angélique ») : « populaires. À part les rimes incorrectes, la ballade suivante est déjà de la vraie poésie romantique et chevaleresque. // [*Texte de la chanson du roi Loys*] // Ces vers ont été composés sur »

Page 74.

1. Paul Bénichou a signalé qu'*Arcabonne* est la magicienne de l'*Amadis de Gaule*. Quant à la fée *Mélusine*, qui passe pour la fondatrice de la famille des Lusignan, elle apparaissait dans le titre originel *Mélusine ou Les Filles du feu*.
2. Dans « Angélique », Folio classique, p. 86.
3. Version de *VBF* : « *l'épouser.* // Nous l'avons entendu chanter dans le Beauvoisis dépouillée de toute cette couleur chevaleresque et locale : // *Dessous* »

Page 75.

1. *Shiraz*, ville d'Iran célèbre pour ses jardins, chantée par Hafiz et Sa'di (et par Heine). « Les Chansons et légendes du Valois », qui rappellent aussi bien les ballades germaniques que les poésies orientales, appartiennent ainsi à un fonds populaire universel.
2. Version de *VBF* : « heureuse ; trois capitaines vous aiment d'amour ! » // *Mais*.

Page 76.

1. *Némésis* : déesse grecque de la vengeance.

Page 77.

1. *Le refrain est une mauvaise phrase latine* : ce refrain latin (« *Spiritus sanctus, / Quoniam bonus* ») est cité dans « Angélique » (Folio classique, p. 75-76), où il est qualifié de « terrible ». Il associe l'Esprit saint à une formule biblique (Judith, 13, 21 et Psaumes 105, 106, 135, 146) évoquant la bonté de Dieu (« *Quoniam bonus* », car il est bon), et suggère sans doute l'exécution du déserteur.
2. Le développement qui commence ici jusqu'à « légèrement, etc. » ne figurait pas dans *VBF*.
3. Charles de Gontaut, duc de *Biron* (1562-1602), maréchal de France, compagnon d'Henri IV, exécuté pour avoir conspiré contre son roi. Il fut popularisé par la chanson qui porte son nom, et par la comédie de Shakespeare *Peines d'amour perdues* (titre un moment envisagé pour *Les Filles du feu*) où son nom est anglicisé en Berowne. Voir « El Desdichado ».
4. Ces deux vers sont cités p. 28 : c'est la « chanson favorite » de Sylvie.

Page 78.

1. Paul Bénichou a montré que le couple *Griselidis-Perceval* est celui d'un drame allemand, *Griseldis* (1835), de Münch-Bellinghausen. Quant au scénario, il rappelle celui de Mélusine et de Raymond de Lusignan, ou de Diane et d'Actéon.

2. *La Reine des poissons* : Nerval reprend ici, avec quelques coupures et de très légères variantes, le conte publié dans *Le National* du 29 décembre 1850. Le conte, sans titre, y était présenté ainsi : « Nous venons de visiter un pays de légendes situé à quelques lieues seulement au-dessus de Paris, mais appartenant aux contrées traversées par l'ancien courant des invasions germaniques qui y a laissé quelque chose des traditions primitives qu'apportaient ces races chez les Gallo-Romains. / Voici un de ces récits qui nous a frappé vivement par sa couleur allemande et que nous ne citons que parce qu'il a quelque affinité avec la légende de Gribouille, admirablement rendue par George Sand. / C'était un pâtre qui racontait cela aux assistants assis autour d'un feu de bruyère, tandis qu'on travaillait autour de lui à des filets et à des paniers d'osier. / Il parlait d'un petit garçon et d'une petite fille... »

Page 79.

1. Cette association des femmes cygnes, de l'*Edda* (livre fondateur de la mythologie nordique) et de *Mélusine* se retrouve dans la présentation que fit Nerval des *Poésies* de Heinrich Heine dans la *Revue des Deux Mondes* du 15 juillet 1848 : « [...] il comprend à merveille ces légendes de la Baltique, ces tours où sont enfermées des filles de rois, ces femmes au plumage de cygne [...]. Un reflet de l'Edda colore ses ballades comme une aurore boréale [...]. Mais, ce à quoi il excelle, c'est à la peinture de tous les êtres charmants et perfides, ondines, elfes, nixes, willis, dont la séduction cache un piège [...]. Il faut dire que [...] toute femme est pour Heine quelque peu nixe ou willi ; et lorsque dans un de ses livres il s'écrie, à propos de Lusignan, amant de Mélusine : "Heureux homme dont la maîtresse n'était

serpent qu'à moitié !", il livre en une phrase le secret intime de sa théorie de l'amour. »

Page 80.

1. Variante du *National* : « [...] nous sommes-nous supposés deux dans le rêve ? » Par cette rencontre en rêve, ce conte de « La Reine des poissons » rejoint *Le Songe de Poliphile*.

Page 81.

1. *Odin* (ou Wotan), dieu de la guerre, et son fils *Thor* (ou Donner), dieu du tonnerre armé de son marteau Mjöllnir (donc dieu du feu) dans la mythologie germanique.

Page 82.

1. *Aux pieds de la Marne, de l'Oise et de l'Aisne* : dans *Le National*, où le conte n'était pas donné explicitement comme valoisien, il s'agissait de la Marne, de la Meuse et de la Moselle. Nerval réinscrit ici l'identité valoisienne du conte affichée dès l'incipit.

2. Dans *Le National*, Nerval faisait suivre le conte d'un paragraphe interprétatif : « Nous ne pensons pas qu'il faille voir dans cette légende une allusion à quelqu'une de ces usurpations si fréquentes au Moyen Âge, où un oncle dépouille un neveu de sa couronne et s'appuie sur les forces matérielles pour opprimer le pays. Le sens se rapporte plutôt à cette antique résistance issue des souvenirs du paganisme contre la destruction des arbres et des animaux. Là, comme dans les légendes des bords du Rhin, l'arbre est habité par un esprit, l'animal garde une âme prisonnière. Les bois sacrés de la Gaule font les derniers efforts contre cette destruction qui tarit les forces vives et fécondes de la terre, et qui, comme au Midi, crée des déserts de sable où existaient les ressources de l'avenir » (*NPl* II, p. 1255). Contre le symbolisme politique, Nerval privilégie le sens religieux.

Page 83.

1. *L'inspiration naïve de nos pères...* : cette volonté de renouer avec la tradition populaire, caractéristique du romantisme, inspirait déjà les préfaces de 1830 au choix de *Poésies allemandes* et au *Choix des poésies de Ronsard*.

SYLVIE

ANNEXES

DOSSIER

DU MÊME AUTEUR

Dans la même collection

LES ILLUMINÉS. *Édition présentée et établie par Max Milner.*

VOYAGE EN ORIENT. *Préface d'André Miquel. Édition de Jean Guillaume et Claude Pichois.*

AURÉLIA. LES NUITS D'OCTOBRE. PANDORA. PROMENADES ET SOUVENIRS. *Préface de Gérard Macé. Édition de Jean-Nicolas Illouz.*

LES FILLES DU FEU. LES CHIMÈRES. *Préface de Gérard Macé. Édition de Bertrand Marchal.*

Dans Poésie/Gallimard

LES CHIMÈRES. LA BOHÊME GALANTE. PETITS CHÂTEAUX DE BOHÊME. *Préface de Gérard Macé. Édition de Bertrand Marchal.*

LÉNORE et autres poésies allemandes. *Préface de Gérard Macé. Édition de Jean-Nicolas Illouz et Dolf Oehler.*

COLLECTION FOLIO

Dernières parutions

5291. Jean-Michel Delacomptée	*Petit éloge des amoureux du silence*
5292. Mathieu Terence	*Petit éloge de la joie*
5293. Vincent Wackenheim	*Petit éloge de la première fois*
5294. Richard Bausch	*Téléphone rose* et autres nouvelles
5295. Collectif	*Ne nous fâchons pas ! Ou L'art de se disputer au théâtre*
5296. Collectif	*Fiasco ! Des écrivains en scène*
5297. Miguel de Unamuno	*Des yeux pour voir*
5298. Jules Verne	*Une fantaisie du docteur Ox*
5299. Robert Charles Wilson	*YFL-500*
5300. Nelly Alard	*Le crieur de nuit*
5301. Alan Bennett	*La mise à nu des époux Ransome*
5302. Erri De Luca	*Acide, Arc-en-ciel*
5303. Philippe Djian	*Incidences*
5304. Annie Ernaux	*L'écriture comme un couteau*
5305. Élisabeth Filhol	*La Centrale*
5306. Tristan Garcia	*Mémoires de la Jungle*
5307. Kazuo Ishiguro	*Nocturnes. Cinq nouvelles de musique au crépuscule*
5308. Camille Laurens	*Romance nerveuse*
5309. Michèle Lesbre	*Nina par hasard*
5310. Claudio Magris	*Une autre mer*
5311. Amos Oz	*Scènes de vie villageoise*
5312. Louis-Bernard Robitaille	*Ces impossibles Français*
5313. Collectif	*Dans les archives secrètes de la police*
5314. Alexandre Dumas	*Gabriel Lambert*

5315. Pierre Bergé	*Lettres à Yves*
5316. Régis Debray	*Dégagements*
5317. Hans Magnus Enzensberger	*Hammerstein ou l'intransigeance*
5318. Éric Fottorino	*Questions à mon père*
5319. Jérôme Garcin	*L'écuyer mirobolant*
5320. Pascale Gautier	*Les vieilles*
5321. Catherine Guillebaud	*Dernière caresse*
5322. Adam Haslett	*L'intrusion*
5323. Milan Kundera	*Une rencontre*
5324. Salman Rushdie	*La honte*
5325. Jean-Jacques Schuhl	*Entrée des fantômes*
5326. Antonio Tabucchi	*Nocturne indien* (à paraître)
5327. Patrick Modiano	*L'horizon*
5328. Ann Radcliffe	*Les Mystères de la forêt*
5329. Joann Sfar	*Le Petit Prince*
5330. Rabaté	*Les petits ruisseaux*
5331. Pénélope Bagieu	*Cadavre exquis*
5332. Thomas Buergenthal	*L'enfant de la chance*
5333. Kettly Mars	*Saisons sauvages*
5334. Montesquieu	*Histoire véritable et autres fictions*
5335. Chochana Boukhobza	*Le Troisième Jour*
5336. Jean-Baptiste Del Amo	*Le sel*
5337. Bernard du Boucheron	*Salaam la France*
5338. F. Scott Fitzgerald	*Gatsby le magnifique*
5339. Maylis de Kerangal	*Naissance d'un pont*
5340. Nathalie Kuperman	*Nous étions des êtres vivants*
5341. Herta Müller	*La bascule du souffle*
5342. Salman Rushdie	*Luka et le Feu de la Vie*
5343. Salman Rushdie	*Les versets sataniques*
5344. Philippe Sollers	*Discours Parfait*
5345. François Sureau	*Inigo*
5346 Antonio Tabucchi	*Une malle pleine de gens*
5347. Honoré de Balzac	*Philosophie de la vie conjugale*
5348. De Quincey	*Le bras de la vengeance*
5349. Charles Dickens	*L'Embranchement de Mugby*

5350. Epictète — *De l'attitude à prendre envers les tyrans*
5351. Marcus Malte — *Mon frère est parti ce matin...*
5352. Vladimir Nabokov — *Natacha et autres nouvelles*
5353. Conan Doyle — *Un scandale en Bohême* suivi de *Silver Blaze. Deux aventures de Sherlock Holmes*
5354. Jean Rouaud — *Préhistoires*
5355. Mario Soldati — *Le père des orphelins*
5356. Oscar Wilde — *Maximes et autres textes*
5357. Hoffmann — *Contes nocturnes*
5358. Vassilis Alexakis — *Le premier mot*
5359. Ingrid Betancourt — *Même le silence a une fin*
5360. Robert Bobert — *On ne peut plus dormir tranquille quand on a une fois ouvert les yeux*
5361. Driss Chraïbi — *L'âne*
5362. Erri De Luca — *Le jour avant le bonheur*
5363. Erri De Luca — *Première heure*
5364. Philippe Forest — *Le siècle des nuages*
5365. Éric Fottorino — *Cœur d'Afrique*
5366. Kenzaburô Ôé — *Notes de Hiroshima*
5367. Per Petterson — *Maudit soit le fleuve du temps*
5368. Junichirô Tanizaki — *Histoire secrète du sire de Musashi*
5369. André Gide — *Journal. Une anthologie (1899-1949)*
5370. Collectif — *Journaux intimes. De Madame de Staël à Pierre Loti*
5371. Charlotte Brontë — *Jane Eyre*
5372. Héctor Abad — *L'oubli que nous serons*
5373. Didier Daeninckx — *Rue des Degrés*
5374. Hélène Grémillon — *Le confident*
5375. Erik Fosnes Hansen — *Cantique pour la fin du voyage*
5376. Fabienne Jacob — *Corps*
5377. Patrick Lapeyre — *La vie est brève et le désir sans fin*
5378. Alain Mabanckou — *Demain j'aurai vingt ans*

5379. Margueritte Duras François Mitterrand	*Le bureau de poste de la rue Dupin* et autres entretiens
5380. Kate O'Riordan	*Un autre amour*
5381. Jonathan Coe	*La vie très privée de Mr Sim*
5382. Scholastique Mukasonga	*La femme aux pieds nus*
5383. Voltaire	*Candide ou l'Optimisme. Illustré par Quentin Blake*
5384. Benoît Duteurtre	*Le retour du Général*
5385. Virginia Woolf	*Les Vagues*
5386. Nik Cohn	*Rituels tribaux du samedi soir et autres histoires américaines*
5387. Marc Dugain	*L'insomnie des étoiles*
5388. Jack Kerouac	*Sur la route. Le rouleau original*
5389. Jack Kerouac	*Visions de Gérard*
5390. Antonia Kerr	*Des fleurs pour Zoë*
5391. Nicolaï Lilin	*Urkas ! Itinéraire d'un parfait bandit sibérien*
5392. Joyce Carol Oates	*Zarbie les Yeux Verts*
5393. Raymond Queneau	*Exercices de style*
5394. Michel Quint	*Avec des mains cruelles*
5395. Philip Roth	*Indignation*
5396. Sempé-Goscinny	*Les surprises du Petit Nicolas. Histoires inédites-5*
5397. Michel Tournier	*Voyages et paysages*
5398. Dominique Zehrfuss	*Peau de caniche*
5399. Laurence Sterne	*La Vie et les Opinions de Tristram Shandy, Gentleman*
5400. André Malraux	*Écrits farfelus*
5401. Jacques Abeille	*Les jardins statuaires*
5402. Antoine Bello	*Enquête sur la disparition d'Émilie Brunet*
5403. Philippe Delerm	*Le trottoir au soleil*
5404. Olivier Marchal	*Rousseau, la comédie des masques*

5405.	Paul Morand	*Londres* suivi de *Le nouveau Londres*
5406.	Katherine Mosby	*Sanctuaires ardents*
5407.	Marie Nimier	*Photo-Photo*
5408.	Arto Paasilinna	*Le potager des malfaiteurs ayant échappé à la pendaison*
5409.	Jean-Marie Rouart	*La guerre amoureuse*
5410.	Paolo Rumiz	*Aux frontières de l'Europe*
5411.	Colin Thubron	*En Sibérie*
5412.	Alexis de Tocqueville	*Quinze jours dans le désert*
5413.	Thomas More	*L'Utopie*
5414.	Madame de Sévigné	*Lettres de l'année 1671*
5415.	Franz Bartelt	*Une sainte fille et autres nouvelles*
5416.	Mikhaïl Boulgakov	*Morphine*
5417.	Guillermo Cabrera Infante	*Coupable d'avoir dansé le cha-cha-cha*
5418.	Collectif	*Jouons avec les mots. Jeux littéraires*
5419.	Guy de Maupassant	*Contes au fil de l'eau*
5420.	Thomas Hardy	*Les Intrus de la Maison Haute* précédé d'un autre conte du Wessex
5421.	Mohamed Kacimi	*La confession d'Abraham*
5422.	Orhan Pamuk	*Mon père et autres textes*
5423.	Jonathan Swift	*Modeste proposition et autres textes*
5424.	Sylvain Tesson	*L'éternel retour*
5425.	David Foenkinos	*Nos séparations*
5426.	François Cavanna	*Lune de miel*
5427.	Philippe Djian	*Lorsque Lou*
5428.	Hans Fallada	*Le buveur*
5429.	William Faulkner	*La ville*
5430.	Alain Finkielkraut (sous la direction de)	*L'interminable écriture de l'Extermination*
5431.	William Golding	*Sa majesté des mouches*

5432. Jean Hatzfeld — *Où en est la nuit*
5433. Gavino Ledda — *Padre Padrone. L'éducation d'un berger Sarde*
5434. Andrea Levy — *Une si longue histoire*
5435. Marco Mancassola — *La vie sexuelle des super-héros*
5436. Saskia Noort — *D'excellents voisins*
5437. Olivia Rosenthal — *Que font les rennes après Noël?*
5438. Patti Smith — *Just Kids*
5439. Arthur de Gobineau — *Nouvelles asiatiques*
5440. Pierric Bailly — *Michael Jackson*
5441. Raphaël Confiant — *La Jarre d'or*
5442. Jack Kerouac — *Visions de Cody*
5443. Philippe Le Guillou — *Fleurs de tempête*
5444. François Bégaudeau — *La blessure la vraie*
5445. Jérôme Garcin — *Olivier*
5446. Iegor Gran — *L'écologie en bas de chez moi*
5447. Patrick Mosconi — *Mélancolies*
5448. J.-B. Pontalis — *Un jour, le crime*
5449. Jean-Christophe Rufin — *Sept histoires qui reviennent de loin*
5450. Sempé-Goscinny — *Le Petit Nicolas s'amuse*
5451. David Vann — *Sukkwan Island*
5452. Ferdinand Von Schirach — *Crimes*
5453. Liu Xinwu — *Poussière et sueur*
5454. Ernest Hemingway — *Paris est une fête*
5455. Marc-Édouard Nabe — *Lucette*
5456. Italo Calvino — *Le sentier des nids d'araignées* (à paraître)
5457. Italo Calvino — *Le vicomte pourfendu*
5458. Italo Calvino — *Le baron perché*
5459. Italo Calvino — *Le chevalier inexistant*
5460. Italo Calvino — *Les villes invisibles* (à paraître)
5461. Italo Calvino — *Sous le soleil jaguar* (à paraître)
5462. Lewis Carroll — *Misch-Masch* et autres textes de jeunesse
5463. Collectif — *Un voyage érotique. Invitation à l'amour dans la littérature du monde entier*

5464. François de La Rochefoucauld	*Maximes* suivi de *Portrait de de La Rochefoucauld par lui-même*
5465. William Faulkner	*Coucher de soleil* et autres Croquis de La Nouvelle-Orléans
5466. Jack Kerouac	*Sur les origines d'une génération* suivi de *Le dernier mot*
5467. Liu Xinwu	*La Cendrillon du canal* suivi de *Poisson à face humaine*
5468. Patrick Pécherot	*Petit éloge des coins de rue*
5469. George Sand	*Le château de Pictordu*
5470. Montaigne	*Sur l'oisiveté* et autres Essais en français moderne
5471. Martin Winckler	*Petit éloge des séries télé*
5472. Rétif de La Bretonne	*La Dernière aventure d'un homme de quarante-cinq ans*
5473. Pierre Assouline	*Vies de Job*
5474. Antoine Audouard	*Le rendez-vous de Saigon*
5475. Tonino Benacquista	*Homo erectus*
5476. René Fregni	*La fiancée des corbeaux*
5477. Shilpi Somaya Gowda	*La fille secrète*
5478. Roger Grenier	*Le palais des livres*
5479. Angela Huth	*Souviens-toi de Hallows Farm*
5480. Ian McEwan	*Solaire*
5481. Orhan Pamuk	*Le musée de l'Innocence*
5482. Georges Perec	*Les mots croisés*
5483. Patrick Pécherot	*L'homme à la carabine. Esquisse*
5484. Fernando Pessoa	*L'affaire Vargas*
5485. Philippe Sollers	*Trésor d'Amour*
5487. Charles Dickens	*Contes de Noël*
5488. Christian Bobin	*Un assassin blanc comme neige*
5490. Philippe Djian	*Vengeances*
5491. Erri De Luca	*En haut à gauche*
5492. Nicolas Fargues	*Tu verras*
5493. Romain Gary	*Gros-Câlin*
5494. Jens Christian Grøndahl	*Quatre jours en mars*

5495. Jack Kerouac	*Vanité de Duluoz. Une éducation aventureuse 1939-1946*
5496. Atiq Rahimi	*Maudit soit Dostoïevski*
5497. Jean Rouaud	*Comment gagner sa vie honnêtement. La vie poétique, I*
5498. Michel Schneider	*Bleu passé*
5499. Michel Schneider	*Comme une ombre*
5500. Jorge Semprun	*L'évanouissement*
5501. Virginia Woolf	*La Chambre de Jacob*
5502. Tardi-Pennac	*La débauche*
5503. Kris et Étienne Davodeau	*Un homme est mort*
5504. Pierre Dragon et Frederik Peeters	*R G Intégrale*
5505. Erri De Luca	*Le poids du papillon*
5506. René Belleto	*Hors la loi*
5507. Roberto Calasso	*K.*
5508. Yannik Haenel	*Le sens du calme*
5509. Wang Meng	*Contes et libelles*
5510. Julian Barnes	*Pulsations*
5511. François Bizot	*Le silence du bourreau*
5512. John Cheever	*L'homme de ses rêves*
5513. David Foenkinos	*Les souvenirs*
5514. Philippe Forest	*Toute la nuit*
5515. Éric Fottorino	*Le dos crawlé*
5516. Hubert Haddad	*Opium Poppy*
5517. Maurice Leblanc	*L'Aiguille creuse*
5518. Mathieu Lindon	*Ce qu'aimer veut dire*
5519. Mathieu Lindon	*En enfance*
5520. Akira Mizubayashi	*Une langue venue d'ailleurs*
5521. Jón Kalman Stefánsson	*La tristesse des anges*
5522. Homère	*Iliade*
5523. E.M. Cioran	*Pensées étranglées* précédé du *Mauvais démiurge*
5524. Dôgen	*Corps et esprit. La Voie du zen*
5525. Maître Eckhart	*L'amour est fort comme la mort* et autres textes

5526. Jacques Ellul — *«Je suis sincère avec moi-même»* et autres lieux communs
5527. Liu An — *Du monde des hommes. De l'art de vivre parmi ses semblables.*
5528. Sénèque — *De la providence* suivi de *Lettres à Lucilius (lettres 71 à 74)*
5529. Saâdi — *Le Jardin des Fruits. Histoires édifiantes et spirituelles*
5530. Tchouang-tseu — *Joie suprême* et autres textes
5531. Jacques de Voragine — *La Légende dorée. Vie et mort de saintes illustres*
5532. Grimm — *Hänsel et Gretel* et autres contes
5533. Gabriela Adameşteanu — *Une matinée perdue*
5534. Eleanor Catton — *La répétition*
5535. Laurence Cossé — *Les amandes amères*
5536. Mircea Eliade — *À l'ombre d'une fleur de lys...*
5537. Gérard Guégan — *Fontenoy ne reviendra plus*
5538. Alexis Jenni — *L'art français de la guerre*
5539. Michèle Lesbre — *Un lac immense et blanc*
5540. Manset — *Visage d'un dieu inca*
5541. Catherine Millot — O Solitude
5542. Amos Oz — *La troisième sphère*
5543. Jean Rolin — *Le ravissement de Britney Spears*
5544. Philip Roth — *Le rabaissement*
5545. Honoré de Balzac — *Illusions perdues*
5546. Guillaume Apollinaire — *Alcools*
5547. Tahar Ben Jelloun — *Jean Genet, menteur sublime*
5548. Roberto Bolaño — *Le Troisième Reich*
5549. Michaël Ferrier — *Fukushima. Récit d'un désastre*
5550. Gilles Leroy — *Dormir avec ceux qu'on aime*
5551. Annabel Lyon — *Le juste milieu*
5552. Carole Martinez — *Du domaine des Murmures*
5553. Éric Reinhardt — *Existence*
5554. Éric Reinhardt — *Le système Victoria*
5555. Boualem Sansal — *Rue Darwin*
5556. Anne Serre — *Les débutants*
5557. Romain Gary — *Les têtes de Stéphanie*

Composition Rosa Beaumont
Impression Novoprint
à Barcelone, le 8 juillet 2013
Dépôt légal: juillet 2013
1er dépôt légal dans la même collection : mai 2013

ISBN 978-2-07-045432-7. / Imprimé en Espagne.